LE GUIDE
de l'Alberta
et de la Colombie-Britannique

D1284970

Éditeurs:
LES ÉDITIONS LA PRESSE, LTÉE
7, rue Saint-Jacques
Montréal H2Y 1K9

Source des photographies:
En couleurs: Pierre Bourgeois
    et Gilbert Parmentier

En noir et blanc: Bureau du tourisme de l'Alberta,
    de la Colombie-Britannique et Service de
    documentation de LA PRESSE

En dos de couverture: Michel Gravel

Dépôt légal:
BIBLIOTHÈQUE NATIONALE DU QUÉBEC
2e trimestre 1982
ISBN 2-89043-084-7

Collection TOURISME
sous la direction de Michel-G. Tremblay

LE GUIDE
de l'Alberta
et de la Colombie-Britannique

Pierre Bourgeois

la presse

Remerciements

*Je tiens à remercier M. Michel-G. Tremblay,
directeur de la collection Tourisme, pour sa
précieuse collaboration ainsi que l'équipe des
Editions La Presse dont le concours a rendu
possible la publication de ce guide.*

A Jeannette

Table des matières

Annexe I

Parcs nationaux
de l'Alberta et de la Colombie-Britannique

Annexe II

Trajets pittoresques

Annexe III

Un peu d'histoire...

Annexe IV

Renseignements généraux

Avant-propos

Quand, il y a plus d'un an, Pierre Bourgeois m'appela pour me proposer une série de reportages sur l'Ouest canadien dans le cahier VACANCES VOYAGE de LA PRESSE, il était loin de se douter que Les Éditions La Presse publieraient aussi rapidement son premier guide de voyage.

Pierre Bourgeois, professeur à Saint-Laurent, était cependant tout désigné pour réaliser cet immense travail de recherche (je peux en parler en connaissance de cause car Les Éditions La Presse ont publié trois de mes propres guides depuis quatre ans) puisqu'il passe tous ses étés à voyager dans l'Ouest canadien.

L'Alberta et la Colombie-Britannique étant les provinces de l'Ouest qu'il connaît le mieux pour les avoir parcourues en auto, en train, en avion et surtout en autocar avec des groupes de voyageurs québécois, j'ai eu dès la lecture de ses premiers textes la certitude que ses notes de voyages pouvaient faire l'objet d'un excellent guide pratique, un instrument de voyage essentiel à la réalisation de vacances dans ces provinces.

Il me fait d'autant plus plaisir de présenter son ouvrage qu'il traite d'une région de notre pays qui m'est particulièrement chère.

Au cours des douze dernières années, j'ai eu

en effet le plaisir d'y aller à plusieurs reprises. Région à la fois maritime et montagneuse, elle fait l'envie de la plupart des Canadiens à cause de son climat vraiment tempéré et de sa situation privilégiée entre les Rocheuses et l'océan Pacifique.

Ces provinces évoquent tout un monde de jeunesse, soit par la croissance étonnante de l'Alberta ou par la vitalité et le dynamisme de Vancouver. Paradoxalement, Victoria, à la manière d'une petite fille qui porte les robes de sa grand-mère, est désarmante. Presque dépaysante pour un Canadien de l'Est qui se voit subitement transporté dans la lointaine Angleterre.

Plus décevante sera peut-être votre découverte de Calgary ou d'Edmonton, villes stigmatisées par le verre et l'acier, où le voyageur doit vraiment faire un effort pour y apprécier la vie des habitants. Pour cela, peut-être, faut-il faire coïncider votre séjour dans ces villes avec la tenue des grands carnavals et festivals alors que l'atmosphère est plus à la joie.

Mais, au fait, je vais plutôt laisser à Pierre Bourgeois le soin de nous guider lui-même dans sa découverte de l'Alberta et de la Colombie-Britannique, et je vous assure d'un bon voyage en sa compagnie.

Michel-G. Tremblay,
Directeur de la collection Tourisme,
Éditions La Presse

ALBERTA

Pendant longtemps, jusqu'à la découverte de gisements de pétrole et de gaz, l'économie de l'Alberta était axée sur l'agriculture et l'élevage des bovins. Mais cette province est aussi un petit paradis pour le touriste, autant par la diversité de sa géographie que par les facilités offertes aux touristes. Ses cinq parcs nationaux et ses nombreux parcs provinciaux en font une province à vocation touristique. Pour celui qui a traversé le Manitoba et la Saskatchewan, l'Alberta devient un but à atteindre tellement il y a d'endroits à visiter, de choses à voir.

L'Alberta fut d'abord occupée par les Indiens. Le premier Blanc à y mettre les pieds fut Anthony Henday, en 1754. Puis, d'autres sont venus, la plupart se livrant au commerce des fourrures. Des explorateurs tels qu'Alexander Mackenzie, de la Compagnie du Nord-Ouest, ont contribué largement à percer le mur des Rocheuses, à la limite ouest de l'Alberta. Au siècle dernier, les postes de traite des fourrures étaient nombreux, si bien que la Police montée du Nord-Ouest a établi des forts un peu partout afin d'y faire régner l'ordre.

Le développement de la province s'est fait à partir de deux régions, celle d'Edmonton (au nord) et celle de Calgary (au sud). Fort Edmonton fut d'abord un poste de traite à la fin du XVIIIe siècle et, moins d'un siècle plus tard, Edmonton devenait le relais de la ruée vers l'or du Klondike. Plus au sud, Calgary a d'abord connu une première expansion avec l'arrivée du chemin de fer et l'élevage des bovins.

Mais le véritable essor de l'Alberta se fit après la découverte de l'or noir, le pétrole, à Leduc, au sud d'Edmonton, en 1947. Depuis, cette province est devenue la plus riche du Canada. C'est d'ailleurs la seule province où il n'y a pas de taxe de vente et où le taux de chômage est le plus bas du pays. L'Alberta s'est jointe à la Confédération en 1905.

Géographie

Bornée au nord par les Territoires du Nord-Ouest, à l'ouest par la Colombie-Britannique, à l'est par la Saskatchewan et, au sud, par les Etats-Unis, l'Alberta est géographiquement variée. Le sud de l'Alberta est couvert par de vastes prairies dont le sol fertile est propice à l'agriculture. Le nord est riche en forêts, lacs et rivières. Enfin, à la frontière de la Colombie-Britannique, les Rocheuses regorgent de montagnes majestueuses et de glaciers impressionnants. A la limite des parcs nationaux de Banff et de Jasper, les eaux de fonte du champ de glace Columbia alimentent trois cours d'eau importants: la rivière Saskatchewan, le fleuve Mackenzie et le fleuve Columbia. La Saskatchewan se jette dans la baie d'Hudson, tandis que le premier fleuve déverse ses eaux dans l'océan Arctique et le second dans l'océan Pacifique.

Économie

Pendant longtemps, les principales activités économiques de l'Alberta se sont bornées à l'agriculture, à l'élevage et aux mines de charbon. Aujourd'hui encore, la culture du blé, de l'orge et du seigle ainsi que l'exploitation du charbon demeurent une activité importante dans l'économie de la province. Mais, tout récemment, deux autres ressources naturelles, le pétrole et le gaz naturel, se sont ajoutées aux premières. On retrouve le pétrole surtout au sud d'Edmonton et dans le nord de la province. Quant au gaz naturel, ses gisements sont situés en grande partie dans le Sud.

Il n'est donc pas surprenant que l'Alberta soit la première province énergétique du Canada et la plus riche. De plus, l'Alberta renferme toujours les réserves de charbon les plus importantes au pays.

Une autre richesse, moins palpable à première vue mais non moins réelle, gagne de plus en plus de popularité: le tourisme. En effet, grâce aux montagnes Rocheuses qui la bordent à l'ouest et aux nombreux parcs nationaux et provinciaux qu'elle renferme, l'Alberta attire de plus en plus les touristes qui affluent de tous les coins du pays et des pays d'outre-frontières. Banff et Jasper sont les principaux centres touristiques, tandis que Calgary et Edmonton attirent des milliers de visiteurs lors de la période du stampede (Calgary) et des Jours du Klondike (Edmonton).

En bref

Date d'entrée dans la Confédération: 1er septembre 1905
Population: 2 014 000
Superficie: 661 188 km²
Capitale: Edmonton
Principales villes: Calgary, Medicine Hat, Red Deer, Lethbridge, Banff, Jasper, Drumheller, Peace River, Grande-Prairie, Fort McMurray
Plus haut sommet: Mont Columbia (3 747 m)
Parcs nationaux: Waterton Lakes, Banff, Jasper, Elk Island, Wood Buffalo (plus grand parc national au monde)
Nombre de parcs provinciaux: 57
Emblème floral: Rose sauvage
Jours fériés: Jour de l'An (1er janvier)
Vendredi saint
Fête de la Reine (Victoria Day): 24 mai
Fête du Canada (1er juillet)
Heritage Day (premier lundi d'août)
Fête du Travail (premier lundi de septembre)
Action de grâces (2e lundi d'octobre)
Armistice (11 novembre)
Noël (25 décembre)
Boxing Day (26 décembre)
Alcool: Vendu dans les magasins gouvernementaux. Age légal: 18 ans
Activités spéciales:
Stampede de Calgary: début juillet
Indians' Days à Banff: juillet
Journées du Klondike à Edmonton: juillet
Festival des arts de Banff: août

Comment s'y rendre

Par avion

De Montréal, Air Canada et CP Air desservent les villes de Calgary et d'Edmonton. CP Air assure la liaison entre Grande-Prairie et Edmonton. Air Canada dessert également Lethbridge.

Pacific Western Airlines assure des liaisons entre Edmonton, Calgary, Peace River, Rainbow Lake, Fort McMurray et Fort Chipewyan, de même qu'entre différentes villes de la Colombie-Britannique et des Territoires du Nord-Ouest.

L'Alberta est également desservie par Western Airlines, British Airways et Republic. Les principaux aéroports sont situés à Calgary, Edmonton, Fort McMurray, Grande-Prairie, Lethbridge, Medicine Hat et Peace River.

Par train

Via Rail dessert Edmonton, Wainwright, Edson, Jasper en partance de l'est du pays. Il y a également des liaisons entre Edmonton, Camrose, Calgary et Drumheller.

Les trains venant de l'est du pays s'arrêtent aussi à Medicine Hat, Calgary, Banff et Lac Louise. Le CP assure aussi la liaison entre Calgary et Edmonton, Calgary et Lethbridge et entre Medicine Hat et Lethbridge.

Par la route

L'Alberta possède plus de 145 000 kilomètres de routes. Venant de l'est, la route transcanadienne est la plus utilisée. La route entre Lac-Louise et Jasper est une route scénique. Il est également possible de passer par Edmonton, puis de redescendre vers Calgary. Il est illégal d'avoir un radar dans sa voiture en Alberta.

Par autocar

Greyhound assure la liaison entre Edmonton et la frontière américaine. La compagnie Coachways System dessert principalement les régions situées au nord d'Edmonton. Cardinal Coach Lines assure la liaison entre Calgary et Turner Valley, tandis que Northern Bus Lines assure celle entre Lethbridge et Turin. La compagnie Brewster offre divers tours organisés entre Calgary et Jasper.

Il est agréable de faire de la motoneige en plein été sur les glaciers situés près de la route principale entre Banff et Jasper.

Adresse utile

Travel Alberta, Capital Square, 12th floor, 10065 Jasper Avenue, Edmonton, T5J 0H4.

BANFF

En 1883, alors qu'on construisait le chemin de fer du Canadien Pacifique, deux employés découvrirent un trou dans lequel se trouvait une nappe d'eau et d'où s'échappaient une odeur sulfureuse et de la vapeur. Curieux, ils construisirent une échelle et y descendirent. L'eau étant relativement chaude, ils en profitèrent pour se baigner. L'un d'eux eut alors l'idée de faire payer les employés du chemin de fer pour toute baignade salutaire, mais très vite la population demanda que le gouvernement fasse de cet endroit un lieu public. En 1885, le gouvernement décida de réserver un territoire de 25 km² au centre duquel se trouvaient les eaux sulfureuses. En 1887, ce territoire devenait le parc national de Rocky Mountain, connu aujourd'hui sous le nom de parc national de Banff, un des parcs les plus populaires au Canada.

À l'entrée du parc, observez les tableaux où figurent certains noms. Si vous y voyez le vôtre, communiquez avec la police, car un message important vous attend. Sinon, poursuivez votre voyage dans ce merveilleux parc. Il vous faudra toutefois prendre certaines précautions. Il est strictement défendu de nourrir les animaux, de couper des arbres ou de cueillir fleurs et fruits. Ces restrictions sont imposées pour la survie même des animaux. En effet, ces derniers doivent être en mesure de se nourrir pendant la saison froide; les nourrir inhibe ou diminue leur instinct de chercher eux-mêmes leur nourriture. De plus, il y va de votre sécurité. Il ne faut pas oublier que ces animaux sont sauvages.

La petite ville de Banff n'a pas de maire, car la ville est administrée par le gouvernement fédéral. De plus, on ne peut pas être propriétaire du terrain sur lequel on a érigé une maison. Banff a une population d'environ 4 000 habitants, mais celle-ci peut atteindre 25 000 ou plus pendant la saison touristique. Le nom de Banff vient du nom de la ville natale de Lord Strathcona, Banffshire, en Ecosse. Cette petite ville est sans doute le lieu le plus visité des montagnes Rocheuses. Entourée de montagnes dont on est souvent porté à oublier le nom (Cascade, Rundle, Norquay, Tunnel, Sulphur, etc.), Banff est une ville magnifique. Les activités culturelles ou sportives

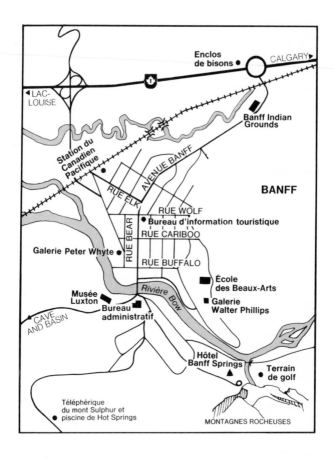

abondent. Mais le prix des chambres y est élevé et il faut réserver. Par contre, il existe de nombreux terrains de camping autour de Banff et près du lac Louise. Comme en période de pointe les visiteurs y sont nombreux, on a prévu, pour les propriétaires de roulottes n'ayant pu se trouver de place, des endroits qu'on appelle «overflow». Ces terrains n'offrent pas l'eau courante ou l'électricité, mais, pour une nuit, on peut s'en accommoder.

Il est facile de se retrouver à Banff. En effet, à part l'avenue principale, toutes les rues portent le nom d'animaux. Sur la rue principale, les restaurants y sont nombreux. La nourriture est excellente, et si l'on a dégusté un steak à Calgary pourquoi ne pas profiter de l'occasion pour manger une bonne truite? On trouve également de nombreuses boutiques. On peut y acheter une sculpture de pierre à savon, un bijou de jade, un chandail, etc. Un objet à rapporter est le dollar souvenir: son coût est de 1$ et il peut servir de monnaie courante jusqu'au 30 septembre de la même année.

Banff, par sa situation géographique, jouit d'un climat plutôt capricieux. Il peut pleuvoir soudainement et, 15 minutes plus tard, faire un soleil radieux. On dit que si la pluie n'a pas cessé après 30 minutes, il est fort possible qu'elle durera toute la journée. Le voyageur prudent prévoira des vêtements chauds. De plus, si vous aimez vous promener en forêt ou visiter les alentours à pied, une bonne paire de souliers est indispensable.

Une fois installé à Banff ou dans les environs, le premier arrêt qui s'impose est celui du bureau d'information, situé sur l'avenue Banff, pour se procurer de la documentation. Par la même occasion, demandez une carte de la province et des dépliants sur les divers endroits que vous désirez visiter. Ces dépliants sont à plusieurs égards très utiles pendant le voyage; ils indiquent en particulier les prix qui ont cours au moment de votre visite, renseignement précieux car ces prix changent toutes les années.

De toutes les activités, la plus populaire est sans doute la baignade aux bains sulfureux. L'entrée s'élève à 1,25$. Vous avez oublié votre costume de bain? Ne vous en faites pas: vous pouvez en louer un sur place. Il fait froid? N'ayez crainte: la température de l'eau de la piscine, qui est ouverte toute l'année, est d'environ 30ºC. Ne pas aller à la piscine serait se priver d'une des merveilles bienfaisantes de la nature.

Si les hautes montagnes ne vous effraient pas (il n'y a d'ailleurs aucune raison), allez au sommet du mont Sulphur (2 280 m). Vous pourrez y admirer Banff et la région. Vous pourrez profiter de l'occasion pour casser la croûte et vous promener autour du chalet. C'est un endroit magnifique pour prendre des photos du panorama: mont Rundle, mont Cascade, mont Norquay, rivière Bow, etc.; par ailleurs, la présence de nombreuses chèvres près du chalet ajoute au pittoresque de l'endroit.

Pour retourner en ville, prenez le Happy Bus. Vous pourrez descendre au Banff Spring Hotel ou au terminus en ville. Mais il serait dommage que vous ne vous arrêtiez pas à l'hôtel Banff Spring. Un hôtel du Canadien Pacifique, il date de 1886, soit d'avant la création du parc national de Rocky Mountain. En 1926, la vieille partie de l'hôtel passa au feu, mais on la reconstruisit en 1928. Une des caractéristiques de l'hôtel est qu'une des chambres n'a pas de portes. Distraction fâcheuse des ouvriers! Le côté qui fait face au mont Sulphur, dans la partie inférieure, est construit de roches prises à même le mont Rundle. L'architecte qui a dessiné les plans du Banff Spring Hotel serait le même qui a tracé le plan du Château Frontenac, un autre hôtel du Canadien Pacifique. Les jardins derrière l'hôtel sont magnifiques.

Parmi les attraits touristiques, ne manquez pas celui de l'enclos de bisons où l'on garde environ sept à neuf de ces magnifiques bêtes. Devant l'entrée, à gauche, vous remarquerez les petits chiens de prairie, véritables pestes pour les résidants de Banff à cause des innombrables galeries souterraines qu'ils creusent de partout. À l'entrée de l'enclos des bisons, il n'y a pas de barrières, mais de simples rouleaux de métal qui empêchent les bisons d'utiliser cette sortie. Ceux qui s'y risquent voient, en effet, leurs sabots se prendre entre les rouleaux. Il est préférable de ne pas y aller tôt le matin, car les bisons sont au centre de l'enclos à cette heure-là.

Parmi les autres activités, citons la visite du musée de la Chambre de commerce, des jardins Cascades (derrière l'édifice de l'Administration), des ruines de Bankhead, des chutes de la rivière Bow et des hoodoos (ou cheminées de fées); on peut aussi aller pêcher ou faire une croisière sur le lac Minnewanka, jouer au golf, faire de l'équitation ou du canoë, ou se rendre au lieu d'origine du parc de Rocky Mountain, le Cave and Basin. Enfin, peut-être aurez-vous l'occasion d'assister aux défilés et aux danses indiennes des Stonies.

Activités et points d'intérêt

Baignade à Hot Springs

Pour un coût minime, profitez des bienfaits des eaux sulfureuses. Il est recommandé de ne pas se baigner plus de 20 minutes à la fois. La température de l'eau est d'environ 100ºF ou 38ºC. De plus, il est possible de louer un costume de bain et une serviette. À l'entrée, à droite, le phénomène des eaux sulfureuses est expliqué.

Téléphérique

Tant qu'à être à Hot Springs, pourquoi ne pas prendre le téléphérique pour y contempler la ville de Banff et la région? La montée dure environ 8 minutes et le panorama est magnifique.

Équitation

De nombreuses brochures ou dépliants sont offerts dans les hôtels. Une balade à cheval est reposante dans le décor des Rocheuses.

Pêche

Il est possible de faire une excursion de pêche (les prises sont nombreuses) au lac Minnewanka. Les prix comprennent la location d'une chaloupe avec moteur, les lignes à pêche, les agrès, etc.

Location de bicyclettes

On peut louer une bicyclette et joindre l'utile à l'agréable.

Marche en forêt

Les amants de la nature découvriront de nombreux sentiers dans la région de Banff. Le bureau d'informations touristiques, sur l'avenue Banff, vous renseignera à ce sujet.

Galerie Peter Whyte

Si les arts et l'histoire vous intéressent, cette galerie possède de nombreuses archives sur le parc et la ville de Banff, de même que sur Bankhead, les Indiens, le chemin de fer, les mines de charbon, etc. Quelques heures réservées à cette galerie seront sûrement enrichissantes. (Entrée libre.)

Enclos de bisons

Situé à l'entrée de Banff, c'est la joie des petits et

des grands. Il est défendu de descendre de voiture pendant la visite de l'enclos.

Golf

Il est possible de jouer au golf à l'hôtel Banff Spring. S'informer des prix et des heures en téléphonant à l'hôtel Banff Spring (762-2962).

Magasinage

Il existe de nombreux magasins à Banff. Que ce soit pour la pierre à savon, des peintures, du jade, des vêtements qui vous rappelleront votre passage à Banff, des objets fabriqués par les Indiens ou pour tout autre souvenir, il est toujours agréable de se promener d'un magasin à l'autre et même de se laisser tenter. Mais, comme partout ailleurs, il est recommandé de ne pas acheter au premier magasin venu. Le choix est varié, les prix le sont aussi. Il n'y a pas de taxe de vente en Alberta.

Visite guidée

Pour certains, le temps est un facteur important. La compagnie Brewster offre un service de visite guidée d'une demi-journée. L'itinéraire comprend la visite d'endroits aussi intéressants que Surprise Corner, les chutes Bow, les hoodoos, Cave and Basin (lieu d'origine du parc Rocky Mountain), le centre d'Art de Banff et peut-être, si le temps le permet, du magnifique jardin situé derrière l'édifice administratif. Le tout est évidemment accompagné d'explications et de renseignements intéressants. (Brewster: 762-2241.)

Restaurants

Les restaurants sont nombreux à Banff. Pour n'en citer que quelques-uns, mentionnons: Bumpers, La Caboose, Ticino, Paris, Mountain Greenery, Guido's Spagetti Factory, Le Beaujolais, etc. Plusieurs restaurants exigent que l'on réserve ou ne sont ouverts qu'en soirée à partir de 17 heures.

Renseignements utiles

Excursion en radeau pneumatique:
Information au 304, rue Cariboo. Tél.: 762-2241.

Terminus d'autobus: 762-2286.

Brewster-Grayline: 304, rue Cariboo.

L'église catholique est située au coin des rues Lynx et Squirrel.

La régie des alcools est ouverte tous les jours, de 10 h 30 à 22 heures, sauf le dimanche et les jours fériés.

L'épicerie Safeway est ouverte jusqu'à 21 heures, du lundi au samedi.

Hébergement

Si vous désirez demeurer à Banff, il est préférable de réserver. Il n'est pas rare que les hôtels et les motels affichent «complet». La liste des hôtels et motels que nous donnons ici n'est que partielle. Le confort qu'offrent certains hôtels et motels est modeste, mais les prix le sont aussi. Par contre, ils sont bien situés par rapport au centre-ville. Vous pouvez, par ailleurs, passer une nuit ou deux à Canmore afin de réduire les coûts si votre budget est limité.

Alpine Motel, 521 Banff Avenue, Banff T0L 0C0. 23 chambres, TV, téléphone. Tél.: 762-2332.

Aspen Lodge, 501 Banff Avenue, Banff T0L 0C0. 49 chambres, TV, téléphone. Tél.: 762-4418.

Banff Park Lodge, 222 Lynx Street, Box 2200, Banff T0L 0C0. 210 chambres, TV, téléphone, piscine, sauna, restaurant, salle à manger. Tél.: 762-4423.

Banff Spring Motel, situé sur Spray Avenue, Banff T0L 0C0. 550 chambres, TV, téléphone, piscine, sauna, restaurants, salle à manger, boutiques. Tél.: 762-2211.

Bif Horn Motel, situé sur Marmot Street, Box 1328, Banff T0L 0C0. 35 chambres, TV, téléphone. Tél.: 762-3386.

Cascade Inn, 124 Banff Avenue, Banff T0L 0C0. 58 chambres, TV, téléphone, casse-croûte, salle à manger. Tél.: 762-3311.

Douglas Fir Chalets, situé sur la route de Tunnel Mountain, Box 215, Banff T0L 0C0. 133 chambres, TV, téléphone, piscine, sauna, cuisinette. Tél.: 762-2718.

Mount Royal Hotel, 138 Banff Avenue, Box 550, Banff T0L 0C0. 95 chambres, TV, téléphone, salle à manger. Tél.: 762-3331.

Inn of the Park, 716 Banff Avenue, Banff T0L 0C0. 180 chambres, TV, téléphone, piscine, sauna, salle à manger, bain tourbillon. Tél.: 762-5521.

Pinewoods Motel, 720 Banff Avenue, Box 610, Banff T0L 0C0. 94 chambres, TV, téléphone, cuisinette. Tél.: 762-2248.

Rimrock Inn, près des bains sulfureux d'Hot Springs, Box 1100, Banff T0L 0C0. 50 chambres, TV, téléphone, casse-croûte, salle à manger. Tél.: 762-3356.

Spruce Grove Motel, 545 Banff Avenue, Box 471, Banff T0L 0C0. 36 chambres, TV, téléphone. Tél.: 762-2112.

Swiss Village Lodge, 516 Banff Avenue, Box 1077, Banff T0L 0C0. 69 chambres, TV, téléphone. Tél.: 762-2256.

Timberline Hotel, situé sur Mount Norquay Street, Banff T0L 0C0. 49 chambres, TV, téléphone, casse-croûte, salle à manger. Tél.: 762-2281.

Traveller's Inn, 401 Banff Avenue, Box 1017, Banff T0L 0C0. 61 chambres, TV, téléphone, sauna. Tél.: 762-4401.

Voyager Inn, 555 Banff Avenue, Box 1540, Banff T0L 0C0. 88 chambres, TV, téléphone, piscine, sauna, casse-croûte, salle à manger. Tél.: 762-3301.

Note: Comme il existe de nombreux autres hôtels et motels à Banff, on se fera toujours un plaisir de vous indiquer un endroit où vous loger. Il ne faut pas toutefois compter sur cette éventualité à tous les coups, surtout pendant les mois de juillet et d'août. D'où l'importance de réserver.

BROOKS (Transcanadienne)

Situé au sud-ouest du parc provincial de Dinosaur, c'est le centre de la chasse au gibier à plume. Visitez la ferme (Brooks Pheasant Hatchery) où l'on fait la reproduction du faisan.

Hébergement

Willow Pines Inn, Box 1838, Brooks T0J 0J0. 58 chambres, TV, téléphone, radio, restaurant, cocktail lounge, stationnement. Tél.: 362-3407.

CALGARY

Pour plusieurs, l'Ouest canadien commence avec Calgary, ville située à environ une centaine de kilomètres à l'est de Banff. Déjà, du haut de la tour de Calgary, on peut apercevoir les Rocheuses. Calgary est situé au confluent des rivières Bow et Elbow. La rivière Bow, qui prend sa source dans les Rocheuses, coule d'un beau bleu vers le sud.

L'origine de Calgary remonte à 1875 lorsque le lieutenant-colonel MacLeod, de la Police montée, envoya un détachement d'une cinquantaine d'hommes, dirigés par les capitaines Brisebois et Denny, pour établir un poste militaire et surveiller le trafic d'alcool entre les Blancs et les Indiens. L'établissement prit alors le nom de fort Brisebois, mais MacLeod suggéra qu'on en changea le nom pour celui de Calgary.

Comme partout ailleurs la ville avait une vocation de poste de traite des fourrures. Mais très rapidement, la région de Calgary devint une région d'éleveurs dont le bétail venait à l'époque principalement du Montana. Un de ces éleveurs, le sénateur Cochrane, possédait une vaste étendue de terre un peu au nord de Calgary. Un mauvais hiver tua plus de la moitié de son troupeau. On raconte que Cochrane donna de nombreux terrains à ses employés ainsi qu'une importante étendue de terre à Calgary. C'est ainsi que Calgary devint la plus grande ville, en superficie, du Canada.

Calgary a connu un essor rapide. À l'été de 1883, le chemin de fer atteignait Calgary, facilitant ainsi les communications avec l'est du Canada. En 1905, l'Alberta faisait son entrée dans la Confédération. En 1911, la ville recevait son électricité de Calgary Power. En 1912, on assiste au premier stampede qui allait rendre la région de Calgary si populaire. En fait, le stampede était au début une exposition qui s'adressait surtout aux éleveurs. Enfin, le gaz naturel, découvert à l'est de Calgary, donna à cette ville

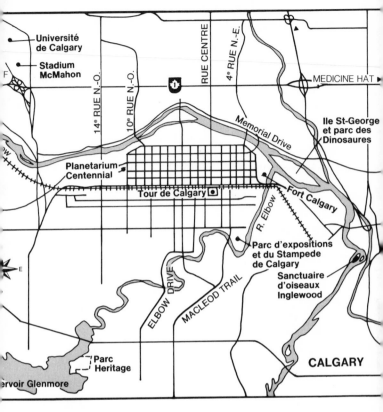

une vocation énergétique. Tous ces facteurs font de Calgary une ville en pleine croissance. Il est donc normal de commencer son voyage en visitant d'abord Calgary, en particulier pendant la période du stampede (au début de juillet, chaque année).

Tous les ans, le stampede («grand rassemblement») attire des milliers de visiteurs de tous les coins de l'Amérique du Nord. C'est une fête à la grandeur de la ville, non plus seulement pour les cow-boys mais aussi pour les touristes. L'activité fébrile règne dans la ville jusqu'à tard la nuit. L'événement a lieu durant les deuxième et troisième semaines de juillet et dure un dizaine de jours. Le jour, c'est le rodéo; en soirée, ce sont les courses de chariots. Le matin, on peut déguster des crêpes sur le pouce; on les prépare dans des chariots pour tout un chacun. Un souvenir à emporter: le traditionnel chapeau de cow-boy blanc.

Comme Calgary a une vocation énergétique, 80%

27

du centre-ville appartient à des entreprises pétrolières. La ville est en croissance rapide, ce qui entraîne à la fois une rareté de logements et un coût de la vie très élevé. Il est intéressant de se promener à pied à Calgary, de faire du lèche-vitrines ou de visiter les musées. On recommande aussi de faire un tour de la ville. Un guide vous fera visiter Heritage Park, les quartiers résidentiels, le site du fort de Calgary, le jardin zoologique. Il répondra à vos questions sur le coût de la vie, le prix approximatif des maisons, etc. Les restaurants ferment tôt le soir; si donc vous avez l'habitude de casser la croûte après une sortie, informez-vous de l'heure de la fermeture.

Activités et points d'intérêt

Tour de Calgary

Une vue magnifique de la ville s'offre à vous du haut de la tour; par temps clair, on peut apercevoir les Rocheuses qui ne sont qu'à une heure et demie de Calgary. La tour de Calgary (ou la Tour Husky), construite en 1967, a une hauteur de 190 m, mais son élévation par rapport au niveau de la mer est de 1 227 m. L'ascension se fait en 63 secondes; le restaurant rotatif prend environ une heure pour faire un tour complet.

Jardin zoologique

On peut visiter le jardin zoologique de Calgary. Ses répliques grandeur nature d'animaux préhistoriques retrouvés dans la région (les plaines de l'Ouest furent jadis une immense mer intérieure) intéresseront les adultes, tandis que des animaux de toutes sortes feront la joie des enfants. Le zoo est situé sur l'île St. George. Un prix d'entrée est exigé.

Le parc Heritage

Ouvert en 1964, ce parc, un «Upper Canada Village» de l'Ouest, a vu plus de 90 édifices (témoins éloquents de l'essor de l'Ouest et de l'Alberta) y être transportés. Un train fait le tour complet du parc, puis s'arrête au retour à la gare Laggan. C'est cette même gare qui servit pour le tournage du film *Doctor Zhivago*, au lac Louise. Quand la réalisation du film fut terminée, elle fut déménagée sur le site actuel du

L'événement touristique le plus important au Canada, le Stampede de Calgary, avec sa spectaculaire course de chariots.

parc Heritage. Le deuxième arrêt se fait au village. On peut se procurer un document, authentifié par un cachet de cire, à la banque du village, au coût de 50¢. Le document raconte l'histoire de la banque Munson et atteste que vous avez visité The Traders Bank of Canada. La boulangerie du lieu offre à prix modique de délicieux pains faits sur place. Vous pouvez aussi déguster un café à l'hôtel du village. Le lac qui s'étale devant le parc est un lac artificiel. On peut y faire de la voile et du canot, mais aucune embarcation à moteur n'est permise. Le parc Heritage est un endroit intéressant à visiter surtout pour ceux qui aiment l'histoire et les antiquités. Un prix d'entrée est exigé.

Musée Glenmore (First Street et Ninth Avenue S.E.)

Une collection d'art sur les Inuit et les Indiens y est présentée ainsi que l'histoire de la Police montée et l'établissement des premiers colons. Il est également possible de consulter les archives sur l'histoire de l'Ouest canadien.

Devonian Gardens (Toronto Dominion Square)

Situés au quatrième étage du Toronto Dominion Square sur Eight Avenue, ces jardins intérieurs, d'une superficie de 1 ha environ, méritent une visite. En tout, 20 000 plants (138 variétés de plantes vertes), plus de 1 km de sentiers et plusieurs fontaines. Ouverts tous les jours jusqu'à 21 heures. (Entrée libre.)

Le métro

Depuis 1981, un métro, à la fois de surface et souterrain, circule dans le centre-ville. Si votre hôtel se trouve situé près de ce métro, prenez-le. Il vous évitera bien des ennuis de circulation aux heures de pointe.

Le Stampede

Au mois de juillet de chaque année, le Stampede de Calgary est l'activité la plus importante de la ville. L'ambiance ressemble à celle des carnavals de Québec ou de Chicoutimi. Chacun se doit de porter le traditionnel chapeau de cow-boy. Pendant l'après-midi, on peut assister à de nombreux rodéos, tandis qu'en soirée les courses de chariots passionnent les amateurs des vieilles traditions. Un spectacle haut en couleur clôture la journée. Si vous vous trouvez à Calgary au moment du stampede, ne manquez pas ces festivités.

Hébergement

Voici une liste partielle des hôtels de Calgary. Certains sont situés dans le centre-ville, d'autres en sont éloignés. Les prix, du fait qu'ils changent chaque année, ne sont pas indiqués. Une agence de voyages peut se charger de faire vos réservations.

Avondale Motor Inn, 2231 Banff Trail, Calgary T2M 4L2. 60 chambres, TV, téléphone. Tél.: 289-1921.

Calgary Inn, 4th Avenue et 3rd Street S.O., Calgary T2P 2S6. 554 chambres, TV, téléphone, radio, stationnement intérieur. Tél.: 266-1611.

Cascade Motel, 16th Avenue et Crowchild Trail N.W., Calgary T2M 4L2. 71 chambres, TV, radio, téléphone, sauna, bain tourbillon. Tél.: 289-2581.

Flamingo Motor Motel, 7505 Macleod Trail, Calgary T2H 0L8. 59 chambres, TV, téléphone, sauna, buanderie, cuisinette. Tél.: 252-4401.

Four Seasons, 9th Avenue et Centre Street S.E., Calgary T2G 2E1. 387 chambres, TV, téléphone, restaurant, bar, piscine intérieure. Tél.: 266-7331.

Highlander Motor Hotel, 1818-16th Avenue N.W., Calgary T2M 0L8. 130 chambres, TV, téléphone, radio, restaurant, piscine, bar. Tél.: 289-1961.

Holiday Inn Downtown, 708, 8th Avenue S.W., Calgary T2P 1H2. 200 chambres, TV, téléphone, radio, sauna, piscine, restaurant. Tél.: 263-7600.

Holiday Inn Macleod Trail, 4206 Macleod Trail S. E., Calgary T2G 2R7. 154 chambres, TV, téléphone, buanderie, piscine, restaurant, bar. Tél.: 287-2700.

International Hotel, 220-4th Avenue S.E., Calgary T2P 0M5. 255 chambres, TV, téléphone, sauna, studio de santé, bar, restaurant, piscine. Tél.: 265-9600.

Palliser Hotel, 133-9th Avenue S.W., Calgary T2P 1J9. 400 chambres, TV, téléphone, radio, restaurant, bar. Tél.: 266-8621.

Sheraton-Calgary Hotel, 202-4th Avenue S.W., Calgary T2P 0H5. 172 chambres, TV, téléphone, radio, restaurant, bar. Tél.: 262-7091.

Trade Winds Motor Hotel, 6606 Macleod Trail, Calgary T2H 0L2. 60 chambres, TV, téléphone, radio, piscine, restaurant, bar. Tél.: 252-2211.

Westward Motor Inn, 119-12th Avenue S.W., Calgary T2R 0G8. 188 chambres, TV, téléphone, radio, sauna, piscine, restaurant, bar. Tél.: 266-4611.

Camping (région de Calgary)

Balzac Campground (230 emplacements), 9,5 km au nord de Calgary, sur le Highway 2. Toilettes à chasse d'eau, douches, téléphone, buanderie, poste de vidange, dépanneur. Tél.: 274-4211.

Bow Bend Trailer Park (40 emplacements): 5227-13rd Avenue, N.W., Calgary. Toilettes à chasse d'eau, douches, terrain de jeu, téléphone, buanderie, poste de vidange. Tél.: 288-2161.

Bow Valley Provincial Parks (244 emplacements): 16 km à l'est de Canmore. Toilettes à chasse d'eau, douches, foyers, pêche, téléphone, buanderie, poste de vidange.

Koa Calgary W. Campground (224 emplacements): 1,5 km à l'ouest des limites de la ville, sur la Transcanadienne. Toilettes à chasse d'eau, douches, téléphone, buanderie, poste de vidange, dépanneur. Tél.: 288-0411.

Adresse utile

Calgary Tourist and Convention Association Hospitality Centre, 1300 - 6th Avenue S.W., Calgary, Alberta. Tél.: 263-8510.

CAMROSE (route 13)

L'activité économique de la région de Camrose

Monument commémorant la « visite » d'un objet-volant-non-identifié érigé à Saint-Paul, en Alberta, à l'occasion des fêtes du centenaire du Canada.

Parade dans les rues de Calgary pendant le Stampede.

Soyez prudents, vous êtes au pays des ours.

Admirez la ville du haut de la tour de Calgary, tout en dégustant un bon repas.

L'hôtel Banff Springs.

Hot Springs: bains sulphureux à ne pas manquer.

L'avenue Banff dans un décor de rêve.

Le lac Louise et le glacier Victoria, un panorama recherché partout.

repose principalement sur l'agriculture, le pétrole et le gaz. Le Camrose and District Centennial Museum renferme divers objets des premiers pionniers. Il est possible de visiter l'école et l'église des pionniers qui a été rénovée.

Hébergement

Alice Hotel, 5078-50th Street, Camrose T4V 1R2. 45 chambres, TV, stationnement, restaurant, salle à manger. Tél.: 672-2124.

Crystal Springs Motor Hotel, 3911- 48th Avenue, Camrose T4V 0K5. 34 chambres, TV, téléphone, taverne, casse-croûte, salle à manger. Tél.: 672-7741.

Camping

Miquelon Lake (232 emplacements): 3 km à l'ouest de Camrose et 25 km au nord. Toilettes à chasse d'eau, douches, foyers, bois, tables de pique-nique, pêche, plage, terrain de jeu, téléphone, poste de vidange.

CANMORE (Transcanadienne et route 1A)

Ancienne ville minière, Canmore est le lieu de résidence de plusieurs personnes qui travaillent à Banff. Chaque année, en août, on y célèbre le Jour de l'Héritage.

Hébergement

A-1 Motel: Box 339, Canmore T0L 0M0. 22 chambres, TV, cuisinette, piscine, terrain de jeu. Tél.: 678-5200.

Rundle Mountain Motel: Box 147, Canmore T0L 0M0. 20 chambres, TV, buanderie, cuisinette, terrain de jeu. Tél.: 678-5322.

Camping

Restwell Trailer and Campground (305 emplacements): foyers, bois, tables de pique-nique, toilettes à chasse d'eau, douches, terrain de jeu, téléphone, buanderie, poste de vidange. Tél.: 687-5111.

CARDSTON (routes 2 et 5)

Cardston tire son nom d'un chef mormon, Charles O. Card, qui vint s'établir dans la région à la fin du siècle dernier avec quarante familles. Ils étaient partis de l'Utah, aux Etats-Unis. Il est possible de visiter la cabine de bois de C.O. Card, maintenant le musée C. O. Card Home and Museum (337 Main Street). Le temple mormon, situé au 600 First Street East, est le seul temple mormon au Canada. On peut le visiter de 9 heures à 21 heures.

Hébergement

Flamingo Motel, Box 92, Cardston T0K 0K0. 20 chambres, TV, téléphone, cuisinette. Tél.: 653-3952.

Camping

Town of Cardston Campground (25 emplacements): foyers, tables de pique-nique, toilettes à chasse d'eau, baignade, terrain de jeu. Administré par la ville de Cardston.

CZAR (route 41)

Point d'intérêt

Prairie Panorama Museum: une collection de 1 000 ensembles de salières et poivrières. Le musée contient également une variété d'articles commémorant les premiers pionniers.

DEVON (autoroute 60)

Point d'intérêt

University of Alberta Devonian Botanical Garden: situé à 9 km à l'ouest d'Edmonton et à 14 km au sud sur la route 40. Variétés de plantes et d'arbustes.

DONALDA (route 53)

Point d'intérêt

Donalda Lamp Museum: on y retrouve une collection de plus de 500 lampes dont une lampe à l'huile de baleine datant du XVIIe siècle. (Entrée libre.)

DRUMHELLER (autoroute 9)

Centre des «terres mortes», cette région est celle que fréquentaient les dinosaures. Ville minière (charbon) au début du siècle, la découverte du pétrole et du gaz naturel donna à Drumheller une autre vocation. L'élevage est également important dans la région. Une visite du Musée paléontologique de Drumheller où sont exposés des fossiles et des squelettes de dinosaures est fortement recommandée.

Hébergement

Rockhound Motor Inn, Box 2350, Drumheller T0J 0Y0. 41 chambres, TV, téléphone, restaurant, cocktail lounge, stationnement. Tél.: 823-5302.

Camping

Dinosaur Trail Campground (186 emplacements): situé sur Dinosaur Trail. Pour tentes et remorques; foyers, bois, tables de pique-nique, toilettes à chasse d'eau, douches, baignade, terrain de jeu, téléphone, buanderie, poste de vidange, dépanneur. Tél.: 823-9333.

EDMONTON

Edmonton, la capitale de l'Alberta, est une ville moderne. Elle est aussi le point de départ ou le relais des visiteurs qui s'aventurent dans les Territoires du Nord-Ouest. À l'origine, simple poste de traite des fourrures de la Compagnie de la Baie d'Hudson, Edmonton prit son premier essor à la fin du XIXe siècle, lors de la ruée vers l'or du Klondike. Un second élément de croissance eut lieu au milieu du XXe siècle quand on découvrit du pétrole à Leduc. Deux événements spéciaux ont lieu chaque année: les Jours du Klondike et la fête du Jour de l'Héritage. La première manifestation, qui a lieu en juillet, rappelle les beaux jours de la ruée vers l'or. La population s'habille en costume d'époque, et de nombreuses activités se déroulent dans la ville. La fête du Jour de l'Héritage (en août) est un hommage aux différentes ethnies de l'Alberta.

Points d'intérêt

Parmi les différents endroits à visiter, mentionnons le Provincial Museum and Archives of Alberta, le zoo d'Edmonton, le planétarium Queen Elizabeth, le Fort Edmonton, le musée d'Histoire (Edmonton Historical Exhibits Building), le çonservatoire Muttart (un jardin botanique), le musée Albert, la galerie d'Art d'Edmonton, le parlement provincial où des visites guidées sont organisées, la mosquée Al Raschid, le Centre civique, le musée du Chemin de fer (Alberta Pionner Railway Museum), le temple de la Renommée de l'Aviation canadienne (Canada's Aviation Hall of Fame), l'Alberta Game Farm (à une vingtaine de kilomètres à l'est d'Edmonton).

Adresse utile

City of Edmonton Visitor's Bureau, 5068, 103rd Street, Edmonton T6H 4N6.

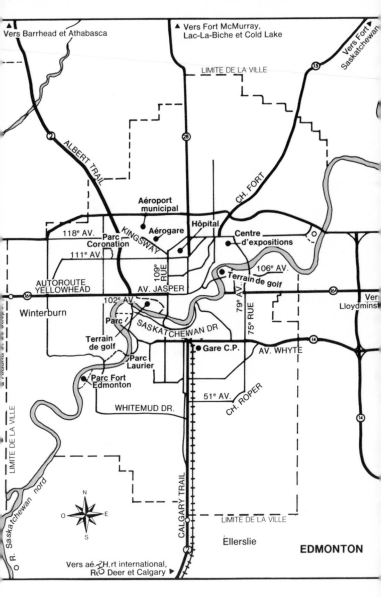

Hébergement

Alberta Place Hotel: 10049-103rd Street, Edmonton
T5J 2W7. 85 chambres, TV, téléphone, sauna, cuisinette, buanderie. Tél.: 423-1565.

Ambassador Motor Inn Best Western, 10041-106rd

Street, Edmonton T5J 1G3. 76 chambres, TV, téléphone, radio, restaurant. Tél.: 429-4881.

Capilano Motor Inn, 9125- 50th Street, Edmonton T6B 2H3. 150 chambres, TV, téléphone, sauna, piscine, bain tourbillon, restaurant. Tél.: 465-3355.

Château Lacombe, hôtel du CP, Edmonton T5J 1N7. 320 chambres, TV, téléphone, radio, stationnement, restaurant. Tél.: 428-6611.

Convention Inn South, 4404 Calgary Trail, Edmonton T6M 5C2. 237 chambres, TV, téléphone, radio, sauna, bain tourbillon, piscine intérieure, piscine extérieure, restaurant, salle à manger. Tél.: 434-6415.

Edmonton Plaza Hotel, 10135-100 St., Edmonton T5J 0N7. 442 chambres, TV, téléphone, radio, piscine intérieure, restaurant, salle à manger. Tél.: 426-3636.

Holiday Inn, 10001- 107th Street, Edmonton T5J 1J1. 190 chambres, TV, téléphone, piscine extérieure, restaurant, salle à manger. Tél.: 429-2861.

Mayfield Inn, Mayfield Road & 109th Avenue, Edmonton T5T 4B6. 250 chambres, TV, téléphone, sauna, bain tourbillon, salle de gymnastique, piscine intérieure, restaurant, salle à manger. Tél.: 484-0821.

Regency Motor Hotel, 7230 Argyll Road, Edmonton T6C 4A6. 138 chambres, TV, téléphone, sauna, piscine intérieure, restaurant. Tél.: 465-7931.

Sandman Inn, 17635 Stony Plain Road, Edmonton T5S 1E3. 150 chambres, TV, téléphone, sauna, bain tourbillon, piscine intérieure, restaurant. Tél.: 483-1385.

Westwood Village Inn, 18035 Stony Plain Road, Edmonton T5S 1B2. 110 chambres, TV, téléphone, sauna, cuisinette, bungalows, piscine intérieure, restaurant. Tél.: 483-7770.

Camping (Edmonton)

Edmonton Beach Resort (136 emplacements): toilettes, douches, plage, piscine, dépanneur. Tél.: 963-6704.

Dans le nord de l'Alberta, la pêche en hydravion est courante pour qui a les moyens de se l'offrir.

Elk Island Sandy Beach (115 emplacements, 68 pour remorques): 40 km à l'est d'Edmonton, sur la route 16. Toilette, plage.
Glowing Embers Trailer Center (500 emplacements): 10 km à l'ouest d'Edmonton, sur la route 16. Toilettes, douches, terrain de jeu, buanderie, dépanneur. Tél.: 962-8100.

EDSON (autoroute 16)

Situé à mi-chemin entre Edmonton et Jasper, Edson offre divers services et diverses activités au visiteur telles que parties de golf, rodéo annuel, carnaval d'hiver.

Hébergement

Edson Motor Hotel & Motel, Box 1418, Edson T0E

0P0. 67 chambres, TV, téléphone, radio, stationnement, restaurant, salle à manger. Tél.: 723-3381.
Park Avenue Motel, 4140-3rd Avenue, Box 2008,
Edson T0E 0P0. 60 chambres, TV, radio, téléphone,
air climatisé, cuisinettes. Tél.: 723-5541.
Plainsman Motor Inn, Box 2678, Edson T0E 0P0.
109 chambres, TV, restaurant, téléphone, cuisinettes. Tél.: 723-4486.

Camping

Willmore Recreation Park (50 emplacements): situé
au sud d'Edson. Foyers, tables de pique-nique, toilettes sèches.

FORT MACLEOD

Situé au sud de Calgary et à l'ouest de Lethbridge,
Fort Macleod fut le premier fort de la Police montée.
Construit en 1874, ce fort servait de quartiers généraux à la Police montée qui voulait repousser vers
l'ouest les trafiquants d'alcool. On peut visiter une
réplique du fort ainsi que le musée. À l'est de Fort
Macleod et au nord du parc national de Waterton
Lakes, il est possible de voir le glissement de terrain
de Frank, survenu en 1903 et où 70 personnes perdirent la vie en moins de 2 minutes.

Hébergement

Century II Motel, Box 1072 Fort Macleod T0L 0Z0.
14 chambres, TV, téléphone, radio, cuisinette. Tél.:
553-3331.

Sunset Motel, Box 398, Fort Macleod T0L 0Z0. 22
chambres, TV, cuisinette. Tél.: 553-3473.

Camping

Daisy May Campground (150 emplacements): tables
de pique-nique, toilettes, douches, terrain de jeu,
buanderie, dépanneur. Tél.: 553-2455.

Dans cette partie du pays, on trouve plusieurs villages « western » évoquant la glorieuse épopée vers l'Ouest. On voit ici celui de Valley Gap près de Revelstoke.

FORT McMURRAY (route 63)

Situé au nord-est d'Edmonton, Fort McMurray retient notre attention à cause des sables bitumineux d'Athabasca. Au nord de Fort McMurray, on peut visiter les installations de Suncor. Les visites étant limitées quant au nombre de personnes, il est recommandé de réserver. Les visites ont lieu quatre fois par jour; on y explique le procédé d'extraction. L'Heritage Village est une reconstitution de huit bâtiments du fort McMurray dont l'église et le bâtiment de la Police montée. L'entrée est libre.

Hébergement

Executive Inn, 10002 King Street et Franklin Avenue, Fort McMurray T9H 3G6. 40 chambres, TV, téléphone, certaines chambres avec réfrigérateurs. Tél.: 743-5600.

Nomad Motor Inn, 10006, McDonald Avenue, Fort McMurray. Box 5390, Fort McMurray T9H 3G4. 70 chambres, TV, téléphone, bar, salle à manger, stationnement.

Peter Pond Hotel, 9713 Hardin Street. 136 chambres, TV, téléphone, radio, restaurant, salle à manger. Tél.: 743-3301.

Camping

Gregoire Lake Provincial Park (85 emplacements): 19 km au sud de Fort McMurray et 10 km à l'est. Foyers, téléphone, poste de vidange.

GRANDE-PRAIRIE (routes 2 et 40)

Quoique située dans le nord de l'Alberta, Grande-Prairie est un centre administratif important. L'économie repose principalement sur l'agriculture et l'industrie forestière. S'y est ajoutée plus récemment l'industrie énergétique, grâce à la découverte de gaz naturel.

Points d'intérêt

Pioneer Museum: situé dans le parc Bear Creek, le Pioneer Museum expose des photos et des objets des pionniers, ainsi que des fossiles et un éventail important de la faune. (Prix d'entrée).

Prairie Gallery: cette galerie d'art expose des oeuvres locales ainsi que des oeuvres d'artistes de régions diverses.

Hébergement

Grande-Prairie Motor Inn, 11633-100th Street, Grande Prairie T8V 3Y4. 108 chambres, TV, téléphone, piscine intérieure, sauna, bain tourbillon, restaurant, salle à manger. Tél.: 532-5221.

Silver Crest Lodge, 10902-100th Street, Grande-

Prairie T8V 4H5. 95 chambres, TV, téléphone, piscine extérieure, cuisinettes. Tél.: 532-1040.

Starlite Motel, 10923-100th Street, Grande Prairie T8V 3J9. 44 chambres, TV, téléphone, radio, buanderie. Tél.: 532-8819.

Camping

Rotary Park (39 emplacements): foyers, tables de pique-nique, toilettes à chasse d'eau, douches, terrains de jeu, poste de vidange, téléphone.

Saskatoon Island (50 emplacements): 20 km à l'ouest de Grande-Prairie et 3 km au nord. Tables de pique-nique, téléphone, terrain de jeu. Ce camping est administré par le gouvernement d'Alberta.

HINTON (route 16)

Points d'intérêt

Située au nord-est de Jasper, entre Jasper et Edson, cette petite ville abrite le Musée forestier d'Alberta et l'un des plus importants moulins de pâtes et papiers d'Alberta, le moulin de St. Regis, qu'on peut visiter. Miette Hot Springs, un autre endroit intéressant à visiter, se trouve à mi-chemin entre Hinton et Jasper, au sud de la route 16.

Hébergement

Hinton Green Tree Travelodge, Box 938, Hinton T0E 1B0. 100 chambres, TV, téléphone, sauna, piscine extérieure, restaurant, salle à manger. Tél.: 865-3321.

Inn West, Box 1700, Hinton T0E 1B0. 98 chambres, TV, téléphone, piscine intérieure, sauna, bain tourbillon, restaurant, salle à manger. Tél.: 865-4001.

Twin Pine Motor Inn, P.O. Box 1035, Hinton, T0E 1B0. 54 chambres, TV, piscine intérieure, sauna, restaurant, salle à manger, stationnement. Tél.: 865-2281.

Camping

Folding Mountain Campground (110 emplacements): 3 km à l'est de l'entrée du parc de Jasper. Toilettes à chasse d'eau, douches, téléphone, poste de vidange. Tél.: 866-3737.

Hinton /Athabasca / (30 emplacements): foyers, tables de pique-nique. Ce camping est administré par la ville.

INNISFAIL (autoroutes 2 et 54)

Point d'intérêt

Innisfail Historical Museum: Reconstitution fidèle d'un village de pionniers, ce «village», dédié à la Police montée, renferme divers bâtiments rappelant la vie des pionniers de la région entre le milileu du XIXe siècle et le début du XXe siècle. (Prix d'entrée.)

JASPER (route 16)

Le parc de Jasper fut créé en 1907 en l'honneur de

Le célèbre hôtel Jasper Park Lodge dans le parc national de Jasper.

Jasper Hawes, un trappeur du début du siècle dernier. La ville de Jasper fut longtemps un poste de relais pour les coureurs de bois, les arpenteurs, les missionnaires et les prospecteurs. Moins touristique que Banff, Jasper n'en demeure pas moins un lieu de villégiature très recherché où les activités sont nombreuses.

Le premier établissement à l'intention des visiteurs fut établi en 1915. Ce n'était qu'un simple campement de tentes. Aujourd'hui, au même endroit, on y trouve le prestigieux Jasper Park Lodge. On a vite fait le tour de l'agglomération de Jasper dont la population n'est que de 4 000 habitants, mais les environs offrent plusieurs possibilités.

Activités et points d'intérêt

Les terrains de camping sont propres et de nombreux sentiers de forêt s'offrent aux amateurs de marche pour visiter la région. La pêche à la truite y est excellente. Les embarcations à moteur ne sont permises que sur les lacs Pyramid et Medicine.

L'équitation, une autre activité populaire, se pratique surtout à Jasper Park Lodge, à Patricia Lake et à Miette Hot Springs. On retrouve à ce dernier endroit les eaux sulfureuses les plus chaudes au Canada (54°C), mais leur température est abaissée à 39°C.

Les amateurs de sensations fortes pourront entreprendre une descente de la rivière Athabaska en radeau pneumatique ou se rendre au sommet du mont Whistler's. À une cinquantaine de kilomètres de Jasper, à l'est, le visiteur peut faire une excursion sur le lac Maligne, un des plus beaux lacs de la région.

De nombreux attraits touristiques méritent notre attention. Tout d'abord un petit musée, The Den, situé à l'hôtel Whistler Motor Lodge, qui renferme une centaine d'animaux empaillés de la faune canadienne et, à l'est de Jasper Park Lodge, le canyon Maligne où, tôt le matin, il est possible de voir des animaux sauvages le long de la route. Parmi les autres endroits à visiter, mentionnons les chutes Punch Bowl, la pisciculture locale, la Maison Jasper (en l'honneur de Jasper Hawes), le mont Edith Cavell (du nom de l'infirmière britannique exécutée par les Allemands lors de la Première Guerre mondiale) et le théâtre Chaba, situé au 604 Connaught Drive. Enfin à cette liste, ajoutons le totem de la tribu Haida, devant la gare. En hiver, les activités sont également nombreuses. Les visiteurs peuvent faire du ski alpin au Marmot Basin, du ski de fond et du camping d'hiver au Pré Marmot, à 4 km au sud de Jasper. De plus, Old Fort Point, site d'un ancien poste de traite, est le point de départ de nombreuses excursions en forêt.

Hébergement

Alpine Village, situé au sud de Jasper sur la route 93A, Box 610, Jasper. 25 chambres, TV, cuisinette. Tél.: 852-3285.

Andrew Motor Lodge, situé au centre-ville, Box 850, Jasper T0E 1E0. 99 chambres, TV, téléphone, salle à manger. Tél.: 852-3394.

Astoria Motor Inn, situé à l'entrée de Jasper, Box 850, Jasper T0E 1E0. 35 chambres, TV, téléphone, salle à manger. Tél.: 852-3351.

Athabasca Hotel, situé au centre-ville, Box 1420, Jasper T0E 1E0. 60 chambres, TV, téléphone, salle à manger. Tél.: 852-3386.

Jasper Inn Motor Lodge, Box 879, Jasper T0E 1E0. 122 chambres, TV, téléphone, piscine. Tél.: 852-4461.

Jasper Park Lodge, situé à l'extérieur de Jasper, Jasper T0E 1E0. 365 chambres, TV, téléphone, piscine, sauna, bain tourbillon, salle à manger. Tél.: 852-3301. (Hôtel de luxe.)

Lobstick Lodge, situé à proximité du centre-ville, Box 1200, Jasper T0E 1E0. 138 chambres, TV, téléphone, salle à manger, piscine, sauna, bain tourbillon. Tél.: 852-4431.

Marmot Motor Lodge, situé à proximité du centre-ville, Box 687, Jasper T0E 1E0. 105 chambres, TV, téléphone, piscine, sauna, salle à manger. Tél.: 852-4471.

Mount Robson Motor Lodge, à proximité du centre-ville, Box 88, Jasper T0E 1E0. 76 chambres, TV, restaurant adjacent. Tél.: 852-3327.

Whistler's Motor Hotel, situé au centre-ville. 41 chambres, TV, téléphone, casse-croûte, bar. Tél.: 852-3361.

Adresse utile

Directeur du parc national Jasper, Box 10, Jasper, Alberta T0E 1E0.

Renseignements divers

Hôpital: 852-3344

Médecin: 300 Miette Avenue (852-4456)

Pharmacies:
   Cavell Drugstore: 602, Patricia Street (852-4441)
   Whistler's Drugs: 100, Miette Avenue (852-4411)

Bureau de poste: 502 Patricia Street (852-3041)

Église catholique: Corner Pyramid et Pyramid Avenue (852-3128)

Terminus d'autobus: 314 Connaught Drive (852-3926)

Brewster: 314 Connaught Drive (852-3332)

Via Rail: Connaught Drive (centre-ville) (852-3168)

Alberta Liquor Store: Patricia Street (852-3152)

LAC-LOUISE ET RÉGION

Hébergement

Château Lac-Louise: 373 chambres, TV, téléphone, salle à manger, nombreuses activités à proximité. Tél.: 522-3511 ou 1-800-268-9411.

Deer Lodge: 108 chambres, cafétéria, à proximité du lac Louise. Tél.: 522-3747 ou (hiver) 762-2057.

Lake Louise Inn: 185 chambres, téléphone, certaines chambres avec cuisinette, sauna, bain tourbillon. Tél.: 522-3791.

Camping

Voir Camping, Parcs nationaux.

LETHBRIDGE

Anciennement nommé Coalbanks à cause de l'industrie du charbon, Lethbridge est situé dans une région fertile où l'élevage et l'agriculture sont particulièrement prospères. Chaque année, en juillet, les Whoop Up Days attirent des milliers de visiteurs. Pendant une semaine, différentes activités hippiques s'y déroulent ainsi qu'un rodéo et d'autres festivités.

Activités et points d'intérêt

Parmi les endroits à visiter, mentionnons le fort Whoop Up, le parc Indian Battle (où eut lieu la dernière bataille indienne), le musée Sir Alexander Galt, les jardins japonais Kikka Yuko (parmi les plus beaux en Amérique du Nord), le High Level Bridge, le barrage St. Mary. Le parc Henderson Lake renferme des terrains de camping, une piscine, des terrains de piquenique, un terrain de golf.

Hébergement

Bridge Townhouse Motel, 1026 Mayor Magrath Drive, Lethbridge T1K 2P8. 37 chambres, TV, téléphone, piscine. Tél.: 327-4576.

El Rancho Motor Hotel, 526 Mayor Magrath Drive, Lethbridge T1J 3M2. 106 chambres, TV, téléphone, restaurant, piscine intérieure. Tél.: 327-5701.

Lethbridge Inn, 421 Mayor Magrath Drive, Lethbridge T1J 3L8. 139 chambres, TV, téléphone, radio, sauna, bar, restaurant, piscine intérieure. Tél.: 328-1111.

Lethbridge Lodge Hotel, 320 Scenic Drive, Lethbridge T1J 4B4. 200 chambres, TV, téléphone, bar, piscine intérieure, bain tourbillon. Tél.: 328-1123.

Lodge Motel, Mayor Magrath Drive et 7th Avenue

Lethbridge T1J 1M7. 94 chambres, TV, téléphone, sauna, bain tourbillon, piscine, restaurant, buanderie. Tél.: 329-0100.

Sundance Inn, 1030 Mayor Magrath Drive, Lethbridge T1K 2P8. 54 chambres, TV, téléphone, bain tourbillon, piscine intérieure, buanderie. Tél.: 328-6636.

Camping

Henderson Lake Campground (86 emplacements): toilettes, douches, buanderie, dépanneur.

Lethbridge KOA (110 emplacements): tables de pique-nique, toilettes, douches, buanderie, baignade, dépanneur. Tél.: 328-0742.

Adresse utile:

Lethbridge Chamber of Commerce, 817, 4th Avenue South, Lethbridge, Alberta T1J 0P3.

LLOYDMINSTER (route 16)

Ville régie par l'Alberta et la Saskatchewan, Lloydminster est d'abord une ville agricole, quoique le pétrole, depuis quelques années, y joue un rôle important.

Points d'intérêt

Parmi les attractions intéressantes, mentionnons le Barr Colony Museum qui relate les origines de Lloydminster, en 1903, et le parc Weaver.

Hébergement

Esquire Motor Inn, 5614, 44th Street West, Lloydminster T9V 0B6. 100 chambres, TV, téléphone, sauna, bain tourbillon, stationnement, piscine intérieure, restaurant, salle à manger. Tél.: 875-6113.

Wayside Inn, Box 1250, Lloydminster S9V 0G1. 99 chambres, TV, téléphone, radio, sauna, stationnement, piscine intérieure, salle à manger, restaurant. Tél.: 875-4404.

Camping

Rivercourse: à 37 km au sud de Lloydminster, sur la route 17. Lieu de repos et non de camping.

MEDICINE HAT

Le nom de la ville tire son origine d'une légende indienne. A la suite d'une bataille entre Cris et Indiens Blackfoot, le guérisseur cri, en prenant la fuite, perdit son chapeau de plumes dans la rivière. D'où le nom de « Saamis », c'est-à-dire Medicine Hat. Le sous-sol de la région est riche en gaz naturel.

Points d'intérêt

Medicine Hat possède son rodéo et sa foire qui ont lieu en juillet. Il est possible de visiter le Musée historique, l'usine Altaglass où l'on peut assister à la fabrication d'objets soufflés en verre. Le parc provincial Cypress Hills est à 65 km au sud-est de Medicine Hat.

Hébergement

Cloverleaf Motel, 773 Eighth Street S.W., Medicine Hat T1A 4M5. 60 chambres, TV, téléphone, radio, sauna, piscine intérieure, buanderie. Tél.: 526-5955.

Flamingo Terrace Best Western, Medicine Hat T1A 5E3, situé sur la Transcanadienne. 61 chambres, TV, téléphone, sauna, bain tourbillon, buanderie, piscine intérieure, restaurant. Tél.: 527-2268.

Imperial Motor Inn, 3282-13th Avenue S.E., Medicine Hat T1B 1H8. 68 chambres, TV, téléphone, piscine intérieure, sauna, bain tourbillon, restaurant, bar. Tél.: 527-8811.

Park Lane Motor Hotel, 780 Seven Street S.W., Medicine Hat T1A 4L2. 79 chambres, TV, téléphone, piscine, cuisinette, restaurant, taverne. Tél.: 527-2231.

Travelodge Motor Inn, 1100 Redcliff Drive, Medicine Hat T1A 5E5. 92 chambres, TV, téléphone, radio, piscine, restaurant. Tél.: 527-2275.

Westlander Inn, 3216-13th Avenue S.E., Medicine Hat T1A 7H1. 40 chambres, TV, téléphone, radio, restaurant. Tél.: 527-7751.

Camping

Cypress Hills Provincial Park (401 emplacements): toilettes, douches, pêche, baignade, buanderie, dépanneur.

Wild Rose trailer Park & Campground (92 emplacements pour camping, 83 emplacements pour roulottes): toilettes, douches, terrain de jeu, buanderie, dépanneur. Tél.: 526-2248.

Adresse utile

Medicine Hat Chamber of Commerce, Box 670, Medicine Hat T1A 7G6.

PARC NATIONAL ELK ISLAND

Créé en 1913 et situé sur la route 16, à 35 km à l'est d'Edmonton, le parc national d'Elk Island a une superficie de 194 km². Un refuge pour les animaux sauvages et principalement pour les espèces menacées, on y trouve entre autres plus de 500 bisons, des wapitis et des orignaux. Les amateurs de la nature et des sports d'hiver peuvent s'adonner à leurs passe-temps favoris. On peut, en effet, y faire du ski de fond et de la raquette grâce à huit pistes.

Points d'intérêt

Lac Oster, camping collectif (emplacements pour

L'étonnant parc provincial Dinosaur dans le sud de l'Alberta.

100 personnes): à 13 km du bureau du parc, sur la rive est du lac Oster. Eau, toilettes à chasse d'eau, toilettes sèches, barbecues, foyers, bois. Ouvert toute l'année.

Plage Sandy (123 emplacements pour tentes et remorques): située près du lac Astotin. Eau, toilettes à chasse d'eau, poste de vidange, foyers, bois. Ouvert de la mi-mai à la fête du Travail, en septembre.

PARC NATIONAL DE WATERTON LAKES

Créé en 1895, ce parc, d'une superficie de 530 km², forme, avec le parc national Glacier de l'Etat du Montana, aux Etats-Unis, le parc international de la Paix Waterton-Glacier. Le lac le plus important est le lac Upper Waterton. On peut y faire une croisière jusqu'à Goat Haunt, aux Etats-Unis. Le parc compte plusieurs terrains de camping sauvage.

Hébergement (il est préférable de faire des réservations pour les hôtels ou motels du parc)

Bayshore Inn, Box 128, Waterton Park T0K 2M0. 44 chambres, TV, téléphone, restaurant. Tél.: 859-2211.

Kilmorey Motor Lodge, Box 124, Waterton Park T0K 2M0. 30 chambres, cocktail lounge avec foyer, restaurant. Tél.: 859-2334.

Prince of Whales Hotel, Waterton Park T0K 2M0. 82 chambres, téléphone, ascenseur, restaurant, cocktail lounge. Pour réservations de mai à septembre, téléphonez 406-226-4841.

Camping

Belly River Campground (24 emplacements pour tentes et remorques): tables de pique-nique, poêles, sentiers pour excursion, pêche.

Un peu partout dans l'Ouest, les rodéos sont de toutes les fêtes et festivals.

Crandell Mountain (129 emplacements pour tentes et remorques): toilettes, tables de pique-nique, poêle, sentiers pour excursion.

Townsite Campground (240 emplacements pour tentes et remorques): tables de pique-nique, toilettes, douches, baignade.

Adresse utile

Superintendant du parc national de Waterton Lakes, Waterton Park, Alberta T0K 2M0.

PARC PROVINCIAL DINOSAUR

Établi en 1955 et situé au nord-est de Brooks, ce parc est un retour aux temps préhistoriques. La plus grande partie du parc (90%) n'est pas accessible au public. Par contre, des visites guidées en autobus sont organisées et l'on peut y voir les fouilles qui ont été effectuées, de même que les restes de certains dinosaures géants préhistoriques qui ont erré dans ces lieux il y a plusieurs millions d'années.

PEACE RIVER (autoroute 2)

Située au confluent de trois rivières, Peace River est une petite ville aux attraits touristiques divers. On peut y faire du golf, assister à la foire d'agriculture locale, visiter le Peace River Centennial Museum et voir le monument d'Henry Fuller Davis, dit « Douze pieds ».

Hébergement

Crescent Motel, Box 670, Peace River T0H 2X0. A proximité de la ville. 90 chambres, TV, radio, téléphone, cuisinettes. Tél.: 624-2586.

Traveller's Motor Hotel, 9510-100th Street, Box 459, Peace River T0H 2X0. 106 chambres, TV, téléphone, radio, sauna, taverne, stationnement, restaurant, salle à manger. Tél.: 624-3621.

Camping

Lion's Club Park (60 emplacements): toilettes à chasse d'eau, douches, terrain de jeu, téléphone, buanderie, poste de vidange, foyers, tables de pique-nique.

PONOKA (autoroute 2A)

Point d'intérêt

Musée Fort Ostell: situé dans le parc Centennial, le fort Ostell fut construit en 1885 par le capitaine J. Ostell afin de protéger les habitants de la région pendant la rébellion de Riel. On y retrouve également des objets indiens et des photos d'époque. (Entrée libre.)

Les chutes de Lundbreck dans le parc national de Waterton.

*Le parc Heritage, au bord du réservoir Glenmore à Calgary,
rappelle les premiers temps de la colonisation de l'Ouest.*

RED DEER

Avec ses 37 000 habitants, Red Deer obtint son sta-
tut de ville en 1901. Cette grosse agglomération al-
bertaine a une vocation agricole. Tous les ans, diverses activités se tiennent sur son terrain
d'exposition. On peut alors assister à des courses de
chariots, des courses de chevaux, un rodéo, etc. Un
attrait touristique à ne pas manquer est le Musée régional de Red Deer qui relate le passé historique de
la région. (Entrée libre.)

Hébergement

Capri Centre, 3310 Gaetz Avenue, Red Deer T4N 3X9. 100 chambres, TV, téléphone, radio, piscine, restaurant, cocktail lounge. Tél.: 346-2091.

Red Deer Lodge, 4311-49th Avenue, Red Deer T4N 5Y7. 134 chambres, TV, téléphone, piscine intérieure, restaurant, cocktail lounge. Tél.: 346-8841.

Sleepy's Inn, 2807 Gaetz Avenue, Red Deer T4N 5H2. 139 chambres, TV, téléphone, bain tourbillon, piscine intérieure, piscine. Tél.: 346-2011.

Camping

Lions & City Campground (63 emplacements dont 43 pour remorques): toilettes, douches, tables de pique-nique,terrain de jeu, buanderie.

Shady Pine Campground (21 emplacements pour remorques): tables de pique-nique, toilettes, douches. Tél.: 346-6392.

Adresse utile

Red Deer Chamber of Commerce, Box 708, Red Deer, Alberta T4N 5H2

Les campeurs trouveront que le parc de Crimson Lake est fort bien aménagé. Il est situé au nord de Rocky Mountain House.

ROCKY MOUNTAIN HOUSE (route 11)

Assistez au Rocky Stampede qui a lieu au début de juin ou aux Jours David Thompson qui ont lieu en août. Visitez le parc national historique de Rocky Mountain House (situé sur la route 11A, à 4,8 km au sud-ouest de Rocky Mountain House) et l'emplacement des quatre postes de traite des fourrures (situés à la jonction des rivières Saskatchewan et Clearwater). Ces quatre postes eurent une activité fébrile entre 1799 et 1886.

Hébergement

Mountainview Hotel and Motel, Rocky Mountain House T0M 1T0. 34 chambres, TV, téléphone, stationnement, taverne, restaurant. Tél.: 845-2821.

Tamarack Motor Inn, Box 2860, Rocky Mountain House T0M 1T0. 50 chambres, TV, téléphone, taverne, restaurant, sauna, bain tourbillon. Tél.: 845-5252.

Camping

Crimson Lake Provincial Park (181 emplacements): 8 km à l'ouest et 6 km au nord de Rocky Mountain House. Foyers, tables de pique-nique, douches, toilettes à chasse d'eau, pêche, baignade, téléphone, poste de vidange.

COLOMBIE-BRITANNIQUE

En 1579, Sir Francis Drake croisa au large de cette province, la plus à l'ouest du Canada, mais on croit qu'il n'y posa pas le pied, soucieux plutôt de trouver le passage du Nord-Ouest. Il faut attendre la fin du XVIIIᵉ siècle pour voir les Blancs s'établir sur le littoral, habité seulement par les Indiens. En 1774, Juan Perez au nom du roi d'Espagne faisait une expédition le long de la côte. Toutefois, les Anglais étaient également très actifs dans cette région et, en 1778, le capitaine James Cook, lui aussi à la recherche du passage du Nord-Ouest, mit le pied à Nootka, sur la côte ouest de l'Île de Vancouver. Les Espagnols réclamaient ce territoire à l'Angleterre prétendant être les premiers découvreurs. Ce n'est qu'en 1790, à la signature de la Convention de Nootka, que ce territoire devint propriété britannique. Des noms à consonance hispanique comme le détroit Juan de Fuca, Aristozabal Island, etc., perpétuent le souvenir du passage des Espagnols dans cette région.

Dans les années qui suivirent, des explorateurs comme Alexander Mackenzie, Simon Fraser et David Thompson ont parcouru le territoire que nous connaissons de nos jours sous le nom de Colombie-Britannique. En 1849, l'Île de Vancouver devenait une colonie de la Couronne. La découverte de l'or vers la fin des années 1850 amena un flux important de coureurs de fortune. Pour y faire régner l'ordre, le gouvernement britannique annexa le territoire continental. En 1866, l'île de Vancouver et le territoire continental étaient unifiés et Victoria devint la capitale de la nouvelle colonie. En 1871, la Colombie-Britannique se joignait à la Confédération canadienne.

Géographie

La Colombie-Britannique, bornée à l'est par l'Alberta, au sud par les États-Unis, au nord par le Yukon et à l'ouest par l'océan Pacifique, a une superficie de 948 596 km², soit environ 300 000 km² de plus que l'Alberta. Si le relief de cette dernière est surtout constitué de plaines, celui de la Colombie-Britannique est en grande partie montagneux avec les monts Cascades, Monashee, mont Selkirk et les montagnes Rocheuses. Le climat y est doux et sec sur les côtes. Par contre, dans les montagnes, les précipitations sont nombreuses durant les mois d'été et les chutes de neige abondantes en hiver. On y trouve donc des stations de ski de première qualité. Le centre-sud de la province est une région semi-désertique favorable à l'implantation de grands vergers: cerisiers, pêchers, poiriers, pommiers, vigne, abricotiers, pruniers.

Économie

À cause de ses forêts, la principale richesse naturelle de la Colombie-Britannique est le bois de construction et la pulpe, le bois et ses dérivés comptant à eux seuls pour 50% environ de l'économie de la province. Parmi les autres richesses naturelles, mentionnons surtout le charbon, le zinc, l'or, l'argent, le cuivre et, grâce à ses nombreux et puissants cours d'eau, la fabrication de l'aluminium. Viennent ensuite les pêcheries (saumon), l'agriculture et le tourisme.

En bref

Superficie:	948 596 km²
Population:	2 500 000 habitants
Plus hauts sommets:	mont Fairweather, 4 590 m (Colombie-Britannique et Alaska)
	mont Quincy Adams, 4 068 m (Colombie-Britannique et Alaska)
	mont Waddington, 3 953 m (Colombie-Britannique)

	mont Robson, 3 892 m (Colombie-Britannique)
Emblème floral :	fleur du cornouiller.

Le cornouiller du Pacifique est un arbre qui atteint une hauteur de 6 à 12 m et dont le tronc a un diamètre de 17 à 25 cm. La fleur apparaît en avril et reste éclose jusqu'en juin et quelquefois jusqu'à l'automne. On peut y retrouver de quatre à six pétales. Le fruit du cornouiller mûrit en octobre. Le cornouiller est un arbre protégé par la loi. Cueillir la fleur ou endommager l'arbre peut entraîner des amendes.

Légende du cornouiller :

Une vieille légende raconte que le cornouiller aurait servi à fabriquer la croix du Christ; les pétales de la fleur formeraient la croix, le centre représenterait la couronne d'épines et les points rouges rappelleraient le sang.

Emblème minéral : le jade.

Quelques dates

1778: arrivée du capitaine James Cook à Nootka Sound.

28 octobre 1790: traité de Nootka entre la Grande-Bretagne et l'Espagne.

28 août 1792: arrivée du capitaine George Vancouver à Nootka.

22 juillet 1793: Alexander Mackenzie, « venu du Canada par terre », atteint la côte du Pacifique.

Mai 1808: Simon Fraser descend le fleuve qui porte son nom.

1835: découverte du charbon sur l'île de Vancouver.

15 mars 1843: établissement du fort Victoria.

1849: l'île de Vancouver devient une colonie de l'Angleterre.

19 novembre 1858: création de la Colombie-Britannique comme colonie anglaise.

Août 1866: la Colombie-Britannique et l'île de

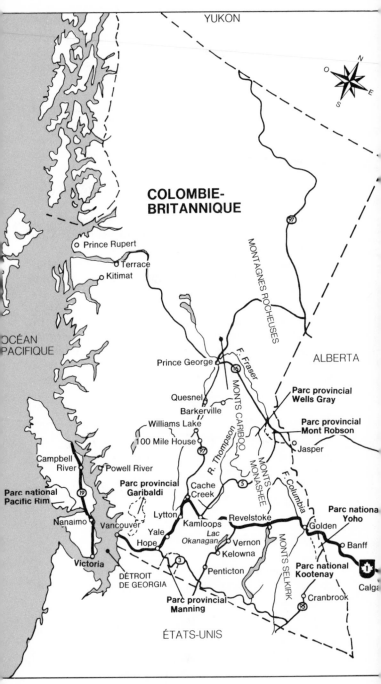

Vancouver sont réunies pour former une seule et même colonie.

2 avril 1868: Victoria devient la capitale de la Colombie-Britannique.

20 juillet 1871: entrée de la Colombie-Britannique dans la Confédération.

1858: découverte de l'or.

Novembre 1885: inauguration du chemin de fer du Canadien Pacifique à Craigellachie.

Renseignements divers

Ceinture de sécurité: la ceinture de sécurité est obligatoire.

Banques: la plupart des banques sont ouvertes de 10 heures à 15 heures, du lundi au vendredi. Certaines banques ouvrent aussi le samedi.

Boissons alcoolisées: l'achat et la consommation d'alcool sont interdits aux personnes âgées de moins de 19 ans.

Médicaments: si vous devez prendre des médicaments, une copie de la prescription signée par votre médecin peut vous être très utile. Votre carte d'assurance-maladie peut également vous servir, surtout si vous devez vous rendre d'urgence à un hôpital. Les frais encourus vous seront remboursés à votre retour au Québec.

Adresses utiles

Banff (Alberta): 224 Banff Avenue. Tél.: 762-5656.
Vancouver: 800 Robson Street, Robson Square V6Z 2C6. Tél.: 668-2300.
Victoria: 1117 Wharf Street V8W 2Z2. Tél.: 387-1642 ou 387-6417.

Industrie hôtelière

British Columbia Hotels' Association: 1st floor, Vancouver Hotel, 900 West Georgia, Vancouver V6C 1P9. Tél.: 681-7164.
British Columbia Motels, Resorts and Trailer Parks Association (BCMR & TPA): 1251 Kingsway, Vancouver V5V 3E2. Tél.: 879-7833.
YMCA & YWCA of New Westminster: 180-6th Street, New Westminster V3L 2Z9. Tél.: 526-2485.

Comment s'y rendre

Par avion

De Montréal, Air Canada et CP Air desservent Vancouver et Victoria. Les bureaux de CP Air à Vancouver sont situés au 1004 Georgia Street West V6E 2Y2. Les bureaux d'Air Canada se trouvent au 905 Georgia Street West V6C 1R4, à Vancouver, et au 20 Centennial Square V8W 1P7, à Victoria.

CP Air dessert les villes suivantes: Prince George, Fort St. John, Fort Nelson, Prince-Rupert, Terrace, Edmonton, Calgary et Grande-Prairie.

Pacific Western Airlines Ltd. dessert Calgary, Edmonton, Kamloops, Vernon, Kelowna, Penticton, Prince George, Campbell River, Comox, Powell River, Cranbrook, Nelson, Trail, Port Hardy, Quesnel et Williams Lake. Les bureaux de Pacific Western Airlines Ltd. sont situés au 1018 Georgia Street West, à Vancouver, et au 690 Broughton, à Victoria.

Air B.C. (4680 Cowley Crescent, Richmond V7B 1C1) dessert Victoria, Nanaimo, Campbell River, Port Hardy, Duncan, Powell River, Gold River et Vancouver.

Trans-Provincial Airlines Ltd. est la principale compagnie aérienne desservant les îles de la Reine-Charlotte. Bureau: Box 280, Prince-Rupert V8J 3P6.

Airwest Airlines assure un service régulier entre les ports de Nanaimo et de Victoria au port de Vancouver et de Port Hardy à différents points de la côte.

Par la route

Au départ de Montréal, la route transcanadienne mène directement à Vancouver. De plus, le réseau routier et les traversiers permettent d'atteindre les régions les plus diverses et les plus intéressantes.

Par train

Via Rail Canada dessert toutes les villes de l'axe Montréal-Victoria en passant par Calgary, Kamloops et Vancouver. Via Rail dessert également Banff et Jasper. A Vancouver, le bureau de Via Rail est situé au 1150 Station Street V6A 2X7. Via Rail fait plusieurs autres arrêts avant d'atteindre son terminus: Golden, Revelstoke, par exemple.

British Columbia Railway dessert principalement la ligne Vancouver-Nord et Prince George. Adresse : 1311 West First Street, North Vancouver V7P 1A7. Tél. : 987-6216.

Amtrak National Railroad Passenger Corporation assure la liaison entre Seattle (E.-U.) et Vancouver (Canada).

Par autocar

Pour se rendre sur la côte Ouest, on peut utiliser les autocars de diverses compagnies de transport telles que Voyageur et Greyhound.

Greyhound Lines dessert presque tous les points importants de la province. Bureau : 150 Dunsmuir Street, Vancouver V6B 1W9. Tél. : 683-2421.

Pacific Coach Lines dessert Victoria, Port Hardy, Vancouver en passant par Swartz Bay, Harrison Hot Springs, Abbotsford, Langley, New Westminster, Tsawwassen, Nanaimo. Il existe aussi une liaison entre Campbell River et Gold River.

Cariboo West Stages Ltd. (16 North Broadway, Williams Lake V2G 1B9) assure le trajet entre Williams Lake et Bella Coola.

Barkerville Stage Lines (Box 67, Pooley Street, Wells V0K 2R0) dessert le trajet entre Quesnel et Bowron Lakes.

Bugaboo Coach Lines Inc. (3-495 Wallinger Avenue, Kimberley V1A 1Z6) dessert la ligne Cranbrook-Golden.

Traversiers

Alberni Marine Transportation Co. : Box 188, Port Alberni V9Y 7M7. Tél. : 723-9774.

De Port Alberni à Ucluelet : Waypoint Kildonan. Durée de la traversée : 10 heures (aller-retour). Capacité : 100 passagers.

Port Alberni à Bamfield : Waypoint Kildonan. Durée : 8 heures (aller-retour). Capacité : 100 passagers.

British Columbia Ferry Corporation : 818 Broughton, Victoria. Tél. : 386-3431. A Vancouver : 669-1211.

De Vancouver (Tsawwassen) à Victoria (Swartz Bay).
Durée: 1 h 35. Capacité: 192 autos et 1 000 passagers. Départ toutes les heures. Tarif: adultes, 3,50 $;
enfants, 2,50 $; véhicules (jusqu'à 20 pieds), 11 $.
(Prix et horaires sujets à changement sans préavis.)

De Vancouver (Horseshoe Bay) à Nanaimo (Departure Bay). Durée: 1 h 50. Capacité: 360 autos et
1 500 passagers. 11 départs par jour entre 6 h 30 et
22 h 15. Tarif: adultes, 3,50 $; enfants (5 à 11 ans),
1,75 $; véhicules (jusqu'à 20 pieds), 11 $. (Prix et
horaires sujets à changement sans préavis.)

De Vancouver (Horseshoe Bay) à Sechelt Peninsula
(Langdale). Durée: 45 minutes. Capacité: 192 autos
et 1 000 passagers.

De Earls Cove à Saltery Bay. Durée: 50 minutes.
Capacité: 50 autos et 400 passagers.

De Vancouver (Horseshoe Bay) à Bowen Island
(Snug Cove). Durée: 20 minutes. Capacité: 70 autos
et 330 passagers.

De Vancouver (Tsawwassen) à Saltspring Island
(Long Harbour), Pender Island (Otter Bay), Mayne
Island (Village Bay), Galiano Island (Sturdies Bay).

Le traversier de Horseshoe Bay.

Durée: 2 h 45. Capacité: 138 autos et 1 000 passagers. Il est recommandé de réserver pour les autos. Le traversier se rend ensuite jusqu'à Victoria (Swartz Bay). Service offert tous les vendredis soir.

Île de Vancouver (Swartz Bay) à Saltspring Island (Fulford Harbour). Durée: 45 minutes. Capacité: 70 autos et 400 passagers.

Île de Vancouver (Crofton) à Saltspring Island (Versuvius Bay). Durée: 20 minutes. Capacité: 32 autos et 182 passagers.

Île de Vancouver: (Port Hardy) à Prince-Rupert (horaire d'été). Durée: 20 heures.

De Vancouver (Tsawwassen) à Port Hardy et Prince-Rupert, d'octobre à mai. Durée: 34 heures.

De Prince-Rupert à Skidegate. Service toute l'année. Durée: 8 heures. Capacité: 80 autos et 400 passagers.

De Brentwood (Saanich) à Mill Bay. Durée: 25 minutes. Capacité: 16 autos et 168 passagers.

British Columbia Steamship Company (1975) Ltd.: 254 Belleville Street, Victoria V8V 1W9. Tél.: 386-6731.

Service entre Seattle et Victoria, de la mi-mai à la fin de septembre.

Black Ball Transport Inc.: 430 Belleville Street, Victoria V8V 1W9. Tél.: 386-2202.

Service de Victoria à Port Angeles (Etats-Unis). Durée: 1 h 30. Capacité: 100 autos et 800 passagers.

Ministère du Transport et des Routes: 30-940 Blanshard Street, Victoria V8V 3E6. Tél.: 387-3053.

Traversier de Gabriola Island (MV *Quinitsa*): de Nanaimo (île de Vancouver) à Gabriola Island. Durée: 20 minutes. Capacité: 50 autos et 300 passagers.

Traversier de Denman Island (MV *Kahloke*): de Buckley Bay (île de Vancouver) à Denman Island. Durée: 15 minutes. Capacité: 22 autos et 150 passagers.

Traversier de Hornby Island: de Denman Island à Hornby Island. Durée: 15 minutes. Capacité: 16 autos et 150 passagers.

Traversier de Thetis Island (MV *Kulleet*): de Chemainus (île de Vancouver) à Thetis Island et Kuper

Island. Durée: 25 minutes. Capacité: 25 autos et 150 passagers.

Traversier de Comox-Powell River (MV *Sechelt Queen*): de Little River (île de Vancouver) à Westview. Durée: 1 h 20. Capacité: 80 autos et 380 passagers.

Traversier de Quathiaski (MV *Quadra Queen II*): de Campbell River (île de Vancouver) à Quathiaski Cove (Quadra Island). Durée: 15 minutes. Capacité: 30 autos et 200 passagers.

Traversier d'Heriot Bay (MV *Nicola*): de Heriot Bay (Quadra Island) à Whaletown (Cortes Island). Durée: 40 minutes. Capacité: 16 autos et 150 passagers.

Traversier de Woodfibre (MV *Garibaldi II*): de Darrell Bay à Woodfibre. Durée: 25 minutes. Capacité: 5 autos et 400 passagers.

Traversier de Texada Island (MV *North Island Princess*): de Westview à Blubber Bay (Texada Island). Durée: 35 minutes. Capacité: 35 autos et 150 passagers.

Traversier de Sointula (MV *Tachek*): de Sointula (Malcolm Island) à Alert Bay (Cormorant Island), puis à Port McNeil (île de Vancouver). Durée: 90 minutes. Capacité: 30 autos et 150 passagers.

Traversier de Digby Island (MV *Barvida*): de Prince-Rupert à Digby Island (Dodge Cove). Durée: 25 minutes. Capacité: 40 passagers.

Etat d'Alaska, division des routes maritimes
Pouch « R », Juneau, Alaska 99811. Téléphone: (907) 465-3941.
Traversier de Prince-Rupert (Canada) à Skagway (Alaska). Ports d'escale: Ketchikan, Wrangell, Petersburg, Juneau, Haines et Sitka. Durée: de 34 à 47 heures. Capacité: 100 autos et 500 passagers.

Traversiers de l'Etat de Washington
Blaney Terminals Limited, 2499 Ocean Avenue, Sidney V8L 1T3. Téléphone à Sidney: (604) 656-1531.
Traversier de Sidney (Victoria) à Anacortes (Etat de Washington) avec escale à San Juan Island. Durée: 3 heures (approximativement). Capacité: 100 autos et 1 000 passagers. Départs tous les jours durant toute l'année.

Croisières

Croisière à bord du M/V Tropicale

Départ hebdomadaire à partir de Vancouver et retour à Vancouver.

Durée du séjour : 8 jours et 7 nuits.

Saison : du 5 juin au 28 août.

Compagnie : Leisure Corporation
               3436 Tongass Avenue
               Ketchikan
               Alaska, 99901

Circuit : Vancouver, Ketchikan, Juneau, Sitka ; excursion au parc national Glacier.

Les tarifs incluent 7 nuits à bord du M/V *Tropicale*. Cabines tout équipées ; excursion au parc national Glacier ; descente en canot pneumatique sur la rivière Mendenhall ; tour de ville de Juneau ; visite d'une mine d'or ; visite historique de Sitka. Spectacle. Repas. Réservations : auprès de votre agent de voyages.

Croisière à bord du M/V Cunard Princess

Départ hebdomadaire à partir de Vancouver et retour à Vancouver.

Durée du séjour : 8 jours et 7 nuits.

Saison : du 8 juin au 7 septembre.

Compagnie : Leisure Corporation
               3436 Tongass Avenue
               Ketchikan
               Alaska, 99901

Circuit : Vancouver, Ketchikan, Juneau, Sitka ; excursion au parc national Glacier.

Les tarifs comprennent 7 nuits à bord du M/V *Cunard Princess*. Cabines tout équipées ; excursion au parc national Glacier ; admission au musée Dolly's House ; visite de Ketchikan et du parc des Totems ; visite de Mendenhall Glacier ; visite de House of Wickersham ; survol du champ de glace Juneau ; visite historique de Sitka. Spectacle des New Archangel Dancers. Activités diverses à bord. Repas. Réservations : auprès de votre agent de voyages.

Croisière et circuit train-avion

Départ deux fois par semaine de Vancouver et retour à Vancouver.
Durée du séjour : 9 jours.
Saison : du 27 mai au 7 septembre.
Compagnie : Leisure Corporation
3436 Tongass Avenue
Ketchikan
Alaska, 99901.

Circuit : Vancouver-Prince-Rupert (avion) ; traversier avec escales à Ketchikan, Wrangell, Petersburg et Juneau ; Juneau-Skagway (avion) ; Skagway-Whitehorse (train) ; Whitehorse-Vancouver (avion).

Les tarifs incluent le prix de l'avion, une nuit à Prince-Rupert, une autre à Ketchikan, deux nuits à Juneau, une autre à Skagway, deux nuits à Whitehorse et une autre à bord du traversier, ainsi que la croisière de Prince-Rupert à Juneau, la visite du musée Dolly's

De Vancouver à Prince Rupert, le bateau transporte le voyageur parmi les plus beaux paysages sauvages du Canada.

House et de House of Wickersham, les divers spectacles et le trajet de chemin de fer entre Skagway et Whitehorse. Réservations: auprès de votre agent de voyages.

ABBOTSFORD (route transcanadienne)

Cette petite ville est un important centre d'approvisionnement de la région méridionale du Fraser. C'est également une région propice à la culture des fruits tels que fraises et framboises. Tous les ans, Abbostford est le site d'un grandiose festival aérien, une des activités les plus importantes au Canada.

Hébergement

Best Western Bakerview Motor Inn, 34567 Delair Road, Abbostford V2S 1H4. 60 chambres, TV, téléphone, piscine intérieure, bain tourbillon, restaurant. Tél.: 859-1341.
Davy Crockett Motel, 1881 Sumas Way, Abbotsford V2S 4L5. 69 chambres, TV, téléphone, piscine chauffée, restaurant. Tél.: 853-1141.

Camping

Abbotsford Campground and Trailer Park (47 emplacements pour remorques, 20 emplacements pour tentes): Box 477, Abbotsford V2S 5Z5. À 5 km à l'est d'Abbotsford. Douches, toilettes à chasse d'eau, poste de vidange, terrain de golf à proximité. Tél.: 859-2426.

ASHCROFT (le long de la rivière Thompson, au sud-ouest de Cache Creek)

Ashcroft est l'un des endroits de la Colombie-Britannique où la température est des plus chaudes. Il en est de même pour Spences Bridge, Kamloops ou la vallée de l'Okanagan. Il est possible de visiter la mine de cuivre Bethleem Copper Mine ou celle de Lornex Open Pit Mine. Le Manoir Ashcroft, sur la route transcanadienne, au sud de Cache Creek, est également intéressant à visiter à cause des objets du temps des pionniers qu'on y trouve. Différentes manifestations ont lieu chaque année dans cette petite ville, capitale canadienne du cuivre: Stampede de Ashcroft (en juin), courses annuelles de boîtes à savon (en juillet) et Festival d'automne (en septembre).

Hébergement

The Sundance Guest Ranch, Box 489, Ashcroft V0K 1A0. 33 chambres, tennis, piscine chauffée, salle de jeu. Activités diverses. Tél.: 453-2422.

Camping

Hilltop Gardens Campground (14 emplacements pour tentes, 14 emplacements pour remorques): Box 119, Spences Bridge V0K 2L0. Situé à 5 km au nord de Spences Bridge, entre Ashcroft et Spences Bridge. Toilettes à chasse d'eau, douches, poste de vidange, foyers, tables de pique-nique, terrain de jeu. Tél.: 458-2288.

AVOLA (autoroute 5)

Avola Mountain Motel, Box 35, Avola V0E 1C0. 20 chambres, TV, restaurant. Tél.: 678-5340.

BARKERVILLE (ville fantôme et parc historique provincial)

Classé lieu historique depuis 1958, Barkerville est une ville témoin de la ruée vers l'or de 1858-1860. Si la ruée vers l'or est l'un de vos sujets préférés, Barkerville mérite que vous vous y attardiez.

Points d'intérêt

On peut y visiter le musée local ainsi que de nombreux bâtiments rénovés. On peut aussi faire du camping au parc provincial Bowron Lake. Dans la région de Barkerville, il est encore possible de trouver des pépites d'or.

Hébergement

Voir Quesnel et Parc provincial Bowron Lake.

Camping

Voir Quesnel et Parc provincial Bowron Lake.

BELLA COOLA (route 20)

Bella Coola, paradis de pêche, est d'accès laborieux. On ne peut, en effet, atteindre cette région éloignée que par avion ou par bateau (pour les plus fortunés) ou se résoudre à parcourir quelque 500 km de routes non pavées depuis Williams Lake. Un des premiers à s'y rendre (sinon le premier) fut Alexander Mackenzie, en 1793. Au centre-ville, une pierre commémore cet événement. Les principaux attraits touristiques sont les nombreux totems et le Musée indien.

Hébergement

Bay Motor Hotel, Box 216, Bella Coola V0T 1C0. 27 chambres, TV, douches, téléphone, restaurant. Tél.: 982-2212.

Cedar Inn, Box 38, Bella Coola V0T 1C0. 20 chambres, TV, téléphone, salle à manger, buanderie. Tél.: 799-5317.

Camping

Parc provincial Tweedsmuir (32 emplacements): à 80 km à l'est de Bella Coola; descente de bateaux.

BLUE RIVER (autoroute 5)

Hébergement

Sandman Inn Chain, Box 31, Blue River V0E 1J0. 39 chambres. TV, téléphone, restaurant, sauna. Tél.: 673-8364.

Venture Lodge, Box 37, Blue River V0E 1J0. 20 chambres, TV, radio, restaurant. Tél.: 673-8335.

CACHE CREEK (jonction de la Transcanadienne et de la route 97)

Située sur la route du Caribou, Cache Creek est une ville témoin de la ruée vers l'or. La région est semi-désertique. À l'est de Cache Creek, sur la route 97, se trouve la vallée de la Wallachin; au nord, on rencontre une série de villes témoins de la ruée vers l'or et d'anciens relais de diligences.

Hébergement

Hotel Oasis, Box 40, Cache Creek V0K 1H0. 60 chambres, TV, téléphone, cafétéria, salle à manger. Tél.: 457-6232.

Sandman Inn Chain, Box 278, Cache Creek V0K 1H0. 35 chambres, TV, téléphone, sauna, restaurant. Tél.: 457-6284.

Camping

Lakeview Campsite and Trailer Park (14 emplacements pour remorques, 14 emplacements pour tentes): Box 144, Clinton V0K 1K0. Situé à 32 km au nord de Cache Creek. Toilettes à chasse d'eau, buanderie, poste de vidange, douches. Tél.: 459-2638.

CAMPBELL RIVER

Situé sur la côte est de l'île de Vancouver, Campbell River est un arrêt intéressant pour le voyageur qui décide de visiter l'île de Vancouver.

Points d'intérêt

On peut faire un arrêt à la salmoniculture de Quinsam River, à 5 km à l'ouest de Campbell River, visiter le Musée de pâtes et papiers de Campbell River où diverses pièces y sont exposées, le moulin d'Elk Falls, un village indien sur l'île de Quadra. Un terrain de golf est aussi à la disposition des amateurs. Parmi les festivités, mentionnons le Festival du saumon.

Hébergement

Delta's Discovery Inn, 975 Tyee Plaza, Campbell River V9W 2C5. 100 chambres, TV, téléphone, piscine, casse-croûte, salle à manger. Tél.: 287-7155.

Haida Inn, 1342 Island Highway, Campbell River V9W 2E1. 76 chambres, TV, téléphone, salle à manger, bar. Tél.: 287-7402.

The Austrian Chalet Village, 462 South Island Highway, Campbell River V9W 1A5. 51 chambres, TV, téléphone, restaurant. Tél.: 923-4231.

Camping

Silver King Trailer Park (70 emplacements pour remorques): Box 274, Campbell River Spit, Campbell River V9W 5B1. À Campbell River Spit, à 3 km du centre-ville. Douches, buanderie, descente pour bateaux. Tél.: 286-6142.

Taku Resort and Motel (17 chambres, 10 emplacements pour tentes, 17 emplacements pour remorques): Box 1, Heriot Bay V0P 1H0. Sur l'île de Quadra. Douches, buanderie, descente pour bateaux, marina. Tél.: 285-3242.

CASTLEGAR (route 3)

Lieu d'intérêt

Doukhobor Historical Museum.

Hébergement

Hi-Arrows Arm, 651-18th Street, Castlegar V1N 2N1. 50 chambres, TV, piscine extérieure, salle à manger. Tél.: 365-7282.

Monte Carlo Motor Inn, 331-7th Avenue, Castlegar. 48 chambres, TV, restaurant, piscine intérieure, cuisinette. Tél.: 365-2177.

Camping

Hislop's Hi-Way Campsite (7 emplacements pour tentes, 18 emplacements pour remorques): 1725 Mannix Road, Castlegar V1N 3R8. Situé à 3 km à l'ouest de Castlegar. Buanderie, poste de vidange. Tél.: 365-5163.

CHILLIWACK

Principal centre de la partie est de la vallée du Fraser, Chilliwack a une population de 45 000 habitants. Son économie est surtout basée sur l'agriculture.

Points d'intérêt

Depuis quelques années, Minters Gardens, le jardin botanique de Chilliwack, situé à l'entrée de la vallée du Fraser, essaie de rivaliser avec les jardins Butchart de Victoria. On peut y admirer des fleurs et des agencements magnifiques. Le musée Wells Centennial renferme divers objets indiens. On peut également y voir une montre ayant appartenu au célèbre voleur de train Bill Miner, qui réussit son plus grand méfait à Mission.

Hébergement

Country Inns Motor Hotel, 318 West Yale Road, Chilliwack V2P 2M3. 33 chambres, TV, téléphone, casse-croûte, salle à manger. Tél.: 792-0661.

Malibu Motel, 605 East Yale Road, Chilliwack V2P 2R6. 15 chambres, TV, tennis. Tél.: 792-2413.

The Chilliwack Motor Inn, 8120 Chilliwack River Road, Chilliwack V2P 6H3. 24 chambres, TV, piscine, buanderie, téléphone. Tél.: 792-8501.

Camping

Cultus Lake Park (500 emplacements pour tentes et remorques): Cultus Lake V0X 1H0. À 8 km au sud de Chilliwack. Douches, toilettes, magasins, restaurant, garage, mini-golf, baignade, trampolines. Tél.: 858-3334.

Green Gables Motel and Trailer Park (13 chambres, 11 emplacements pour remorques): 610 East Yale Road, Chilliwack V2P 2R6. Tél.: 795-3223.

Adresse utile

Chilliwack Chamber of Commerce, 25 Cheam Avenue, Chilliwack, British Columbia V2P 1N7

CLEARWATER (autoroute 5)

Hébergement

Dutch Lake Motel, Box 102, Clearwater V0E 1N0. 25 chambres, TV, plage; équipé pour camping (8 places) et remorques (16 places). Tél.: 674-3325.

Dutch Lake Resort, Box 2104, R.R. 2, Clearwater V0E 1N0. 18 chambres, restaurant, plage; équipé pour camping (45 places) et remorques (21 places). Tél.: 674-3351.

Wells Gray Motor Hotel, Box 280, Clearwater V0E

1N0. 40 chambres, TV, téléphone, restaurant, salle à manger. Tél.: 674-9214.

CRANBROOK

Situé dans la partie sud-est des Kootenays, Cranbrook (pop. 15000) est surtout un centre commercial.

Points d'intérêt

On peut visiter le Musée de chemin de fer et le parc historique provincial de Fort Steele, ancienne ville-fantôme, situé au nord de Cranbrook. Le parc porte le nom de Sam Steele, fameux officier de la Police montée, à qui l'on doit la création du premier poste de police en Colombie-Britannique. La reconstitution du fort Steele comprend des édifices rénovés ou des répliques de l'époque de la ruée vers l'or: un bureau de poste, un magasin général, un salon de barbier, un cabinet de dentiste, un hôtel, une imprimerie, une gare, une église et des dizaines d'autres édifices.

Hébergement

Cranbrook Motor Inn, 621 Cranbrook Street, Cranbrook V1C 3R8. 31 chambres, TV, téléphone, radio, cuisinette, restaurant. Tél.: 426-8231.

Inn of the South, 803 Cranbrook Street, Cranbrook V1C 3S2. 100 chambres, TV, téléphone, cocktail lounge, piscine intérieure, sauna, bain tourbillon. Tél.: 489-4301.

Sandman Inn, 405 Cranbrook Street, Cranbrook V1C 3R7. 73 chambres, TV, téléphone, sauna, piscine intérieure, restaurant, cocktail lounge. Tél.: 426-4236.

Camping

A and B Overnite Trailer Park (15 emplacements pour tentes, 25 emplacements pour remorques): 2500 North Cranbrook Street, Cranbrook V1C 3T4.

Douches, toilettes, terrain de jeu, restaurant. Tél.: 426-2776.

Parc provincial Wasa (105 emplacements): près de la route 93, à 21 km au nord de Fort Steele. Plage, tables de pique-nique.

Adresse utile

Cranbrook Chamber of Commerce, Box 84, West Highway, Cranbrook V1C 4H6.

DAWSON CREEK (route de l'Alaska)

L'agriculture et l'élevage du bétail sont des activités prospères dans la région de Dawson Creek grâce à la fertilité du sol. La découverte de gisements de pétrole et de gaz naturel a fait de Dawson Creek une des villes les plus importantes du nord de la Colom-

Les chevreuils sont presque domestiqués dans les grands parcs nationaux de l'Ouest.

bie-Britannique. Dawson Creek est également le point de départ de la fameuse route de l'Alaska. Le « Mile 0 » se trouve au centre-ville.

Hébergement

Dawson Creek Travelodge, 1317 Alaska Avenue, Dawson Creek V1G 1Z4. 40 chambres, TV, téléphone, air climatisé, restaurant. Tél.: 782-4837.

Peace Villa Motel, 1641 Alaska Avenue, Dawson Creek V1G 1Z9. 46 chambres, TV, téléphone, douches, sauna. Tél.: 782-8175.

The George Dawson Inn, 11705 Eighth Street, Dawson Creek V1G 4N9. 80 chambres, TV, téléphone, air climatisé, restaurant, douches. Tél.: 782-9151.

Windsor Hotel, 1100-102nd Avenue, Dawson Creek V1G 2C1. 76 chambres, TV, téléphone, restaurant, casse-croûte. Tél.: 782-3301.

Camping

Dawson Creek Municipal Campground (63 emplacements pour tentes): City Hall, Box 150, Dawson Creek V1G 4G4. Douches, toilettes à chasse d'eau, buanderie,poste de vidange. Tél.: 782-3351.

Tubby's Tent and Trailer Park (32 emplacements pour tentes, 32 emplacements pour remorques): situé sur l'autoroute 97 Sud. Douches, toilettes à chasse d'eau, buanderie, poste de vidange. Tél.: 782-2584.

FAIRMOUNT HOT SPRINGS (route 95)

Hébergement et camping

Fairmount Hot Springs Resort Ltd.: Fairmount Hot Springs V0B 1L0. 140 chambres, 135 emplacements pour remorques; tentes interdites. Golf, tennis, équitation, ski alpin en hiver. Tél.: 345-6311.

Spruce Grove Campsite Resort: Box 118, Fairmount Hot Springs V0B 1L0. 31 emplacements pour tentes, 56 emplacements pour remorques. Douches, toilettes à chasse d'eau, restaurant, dépanneur. Tél.: 345-6561.

FORT ST. JOHN (route de l'Alaska)

Situé à 80 km au nord de Dawson Creek et avec un bassin de population de plus de 50 000 habitants, Fort St. John est l'une des plus importantes villes du nord de la Colombie-Britannique. C'est une région propice aux activités sportives: pêche, chasse, golf.

Hébergement

Alexander Mackenzie Inn, 9223, 100th Street, Fort St. John V1J 3X3. 70 chambres, TV, téléphone, piscine intérieure, sauna, restaurant. Tél.: 785-8364.

Paramount Motor Inn, Mile 46, 8615, route de l'Alaska V1J 4N7. 125 chambres, TV, téléphone, buanderie, stationnement, restaurant. Tél.: 787-0555.

The Coachman Inn, 8540, route de l'Alaska, Fort St. John V1T 5L6. 74 chambres, TV, téléphone, restaurants, sauna, jacuzzi. Tél.: 787-0651.

Camping

Beatton (40 emplacements): camping provincial situé au nord de Fort St. John.

Charlie Lake (58 emplacements): camping provincial situé au nord de Fort St. John. Poste de vidange.

FORT STEELE (13 km au nord-est de Cranbrook)

Voir Cranbrook.

GOLDEN

Situé au confluent du Columbia et de la rivière Kicking Horse, entre les Rocheuses et les Selkirk, Golden fut longtemps un poste de ravitaillement pour les constructeurs du chemin de fer. Plus tard, au début du siècle, l'exploitation forestière devint et est encore la principale industrie.

Activités et points d'intérêt

Dans la région, on peut pratiquer différents sports tels que le ski alpin, le ski de randonnée, la pêche, le canotage. Une visite s'impose au musée Golden and District.

Hébergement

Golden Gate Motel, Box 566, Golden V0A 1H0. Situé à l'est de Golden, sur la Transcanadienne. 38 chambres, TV, téléphone, restaurant. Tél.: 344-2252.

Golden Rim Motor Inn, Box 510, Golden V0A 1H0. À 8 km à l'est de Golden. 50 chambres, TV, téléphone, sauna, piscine, salle à manger. Tél.: 344-2216.

Ponderosa Motor Inn, Box 303, Golden V0A 1H0. À 8 km à l'ouest de Golden. 32 chambres, TV, téléphone. Tél.: 344-2205.

Camping

Golden KOA Kampground (40 emplacements pour tentes, 60 emplacements pour remorques): Box 233, Golden V0A 1H0. À 1,5 km à l'est de Golden, sur la Transcanadienne. Dépanneur, salle de jeu, buanderie. Tél.: 344-6464.

HARRISON HOT SPRINGS (route 7)

Un des endroits de villégiature préférés des résidants

de Vancouver, Harrison Hot Springs est situé à 125 km de cette ville.

Activités

On peut se baigner, faire du golf, du ski, de la marche en forêt, pratiquer la pêche.

Hébergement

The Harrison, Harrison Hot Springs V0M 1K0. Situé près des eaux sulfureuses. 284 chambres, golf, tennis, curling, danse. Tél.: 796-2244.

The Harrison Lakeshore Motel, Esplanade Avenue, Harrison Hot Springs V0M 1K0. 23 chambres, TV, piscine, restaurant. Tél.: 796-2441.

Camping

Art and Maxine Tent and Trailer Camp (50 emplacements pour tentes, 25 emplacements pour remorques): Box 212, Harrison Hot Springs V0M 1K0. Situé à 500 m de la plage. Douche, dépanneur, poste de vidange. Tél.: 796-9767.

Bull Frog Creek Campgrounds (32 emplacements pour tentes, 10 emplacements pour remorques): Box 309, Harrison Hot Springs V0M 1K0. Douches, dépanneur, tables de pique-nique. À proximité de la plage.Tél.: 796-9147.

HOPE

Ancien fort de la Compagnie de la Baie d'Hudson, Hope s'est développé lors de la ruée vers l'or de 1858. C'est le point de rencontre de la Transcanadienne et de la route vers la vallée de l'Okanagan.

Hébergement

Alpine Motel, 505 Highway Hope-Princeton, Box

708, Hope V0X 1L0. 14 chambres, TV, téléphone. Tél.: 869-9931.

Hope Travelodge, 587 Highway Hope-Princeton, Box 136, Hope V0X 1L0. 20 chambres, TV, téléphone, restaurant. Tél.: 869-5251.

Imperial Motel, 350 Highway Hope-Princeton, Hope V0X 1L0. 26 chambres, TV, téléphone, sauna, piscine, cuisinettes. Tél.: 869-9951.

Lucky Strike Motel, 504 Highway Hope-Princeton, Hope V0X 1L0. 14 chambres, TV, cuisinettes. Tél.: 869-5715.

Camping

Hope KOA Kampground Ltd. (50 emplacements pour tentes, 100 emplacements pour remorques): R.R. #2, Hope V0X 1L0. Tél.: 869-9857. Douches, toilettes, dépanneur.

Wild Rose Campground (23 emplacements pour tentes, 22 emplacements pour remorques): R.R. #2, Hope V0X 1L0. Tél.: 869-9842. 3 milles à l'ouest de Hope sur la Transcanadienne. Douches, buanderie, tables de pique-nique, dépanneur.

100 MILE HOUSE (route 97 au nord de Cache Creek)

Cette ville témoin de la ruée vers l'or des années 1860 est aujourd'hui au coeur d'une région d'élevage prospère. Connu à l'origine sous le nom de Bridge Creek, 100 Mile House connut un essor lors de la ruée vers l'or comme poste de relais pour les diligences.

Activités

La région est populaire auprès des touristes et des adeptes des sports d'hiver. Plusieurs manifestations sportives y ont lieu chaque année: courses de moto-neige en janvier, marathon de ski de fond en mars, rodéo en août. La pêche y est excellente.

Hébergement

Exeter Arms Motor Hotel, Box 159, 100 Mile House V0K 2E0. 40 chambres, TV, téléphone, douches, casse-croûte, restaurant. Tél.: 395-2211.

Red Coach Flagg Inn, Box 760, 100 Mile House V0K 2E0. 49 chambres, TV, restaurant, salle à manger, sauna, bain tourbillon. Tél.: 395-2266.

Camping

Big Country KOA (40 emplacements pour tentes, 40 emplacements pour remorques): Box 37, Lac-La-Hache V0K 1T0. À 5 km au sud de Lac-La-Hache. Toilettes à chasse d'eau, piscine chauffée, douches, poste de vidange, buanderie, dépanneur. Tél.: 396-7252.

150 MILE HOUSE (route 97)

Autre ville témoin de la ruée vers l'or et de la Cariboo Wagon Road, 150 Mile House est situé dans une région où la pêche et la chasse sont excellentes.

Hébergement

Horsefly Landing Resort Ltd., Box 125, Horsefly, V0L 1L0. 26 chambres, restaurant, ski de fond, pêche sur glace. Tél.: 620-3440.

Camping

North Country Lodge and Campground (20 emplacements pour tentes, 5 emplacements pour remorques): 14 chambres, Box 100, Horsefly V0L 1L0. Douches, toilettes, poste de vidange, marina. Tél.: 620-3434.

INVERMERE (route 95)

Situé au sud du parc national Kootenay et de Radium

Hot Springs, Invermere est une magnifique région touristique. St. Peter's Stolen Church, près de Windermere, mérite une halte.

Hébergement

Panorama Resort, Box 458, Invermere V0A 1K0. 188 chambres, tennis, sauna, restaurant, sentiers forestiers, dépanneur, ski en hiver. Tél.: 342-6767.

Camping (à Radium Hot Springs)

Radium Campground (50 emplacements pour tentes, 120 emplacements pour remorques): Box 28, Radium Hot Springs V0A 1M0. Douches, toilettes à chasse d'eau, buanderie. Tél.: 347-9715.

KAMLOOPS

Incorporé en 1893, Kamloops est le centre commercial du centre-sud de la Colombie-Britannique. C'est également le lieu de rencontre des eaux de la rivière

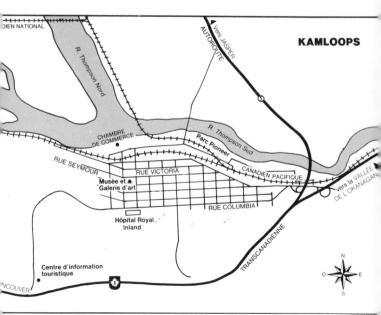

Thompson du Nord et de la rivière Thompson du Sud et des voies de chemin de fer du CN et du CP. À partir de Kamloops, les deux chemins de fer suivront le cours de la rivière Thompson, l'un au nord, l'autre au sud, jusqu'à Lytton, où ils bifurqueront pour accompagner le Fraser. Enfin, ceux qui, pour se rendre en Colombie-Britannique, ont fait le détour par Jasper et le col de Yellowhead, y retrouveront la Transcanadienne.

Activités

Golf, pêche, ski.

Point d'intérêt

Musée (207 Seymour Street).

Hébergement

David Thompson Motor Inn, 650 Victoria Street, Kamloops V2C 2B4. 100 chambres, TV, téléphone, radio, piscine, restaurant, discothèque. Tél.: 372-5282.

Dome Motor Inn, 555 Columbia Street West, Kamloops V2C 1K7. 114 chambres, TV, téléphone, radio, piscine, sauna, bain tourbillon, restaurant, discothèque. Tél.: 374-0358.

Hospitality Inn, 500 Columbia Street West, Kamloops V2C 1K6. 54 chambres, TV, téléphone, piscine, salle à manger. Tél.: 374-4164.

Sandman Inn Chain, 550 Columbia Street West, Kamloops V2C 2V1. 34 chambres, TV, téléphone, sauna, restaurant. Tél.: 374-1218.

Slumber Lodge, 775 Columbia Street West, Kamloops V2C 1K9. 72 chambres, TV, téléphone, piscine, sauna, restaurant. Tél.: 372-8235.

Stockmen's Inn, 540 Victoria Street, Kamloops V2C 2B2. 155 chambres, TV, téléphone, restaurant, bar. Tél.: 372-2281.

Adresse utile

166 Lorne Street, Kamloops,
British Columbia V2C 1W1.

KELOWNA (route 97)

Kelowna, la ville la plus importante de la vallée de
l'Okanagan avec une population de 60 000 habitants, est surtout connue par les touristes pour ses
régates internationales qui ont lieu à la fin de juillet et
au début d'août de chaque année. Pourtant, Kelowna
est avant tout un grand centre de distribution de
fruits, la vallée de l'Okanagan étant le pays de riches
vergers.

Points d'intérêt

La ville de Kelowna organise de nombreuses manifestations sportives chaque année: la SnowFest
(courses de motoneiges), l'Ogopogo Golf Tourna-

*Pourquoi ne pas louer sa maison-bateau pour découvrir les
lacs de la vallée de l'Okanagan?*

ment et les Régates internationales. Le long de la route 97, au sud de Kelowna, plusieurs attractions enfantines dont Flintstone Bedrock City, Old Mac-Donald's Farm and Adventureland, feront la joie des enfants. Kelowna possède aussi le plus long pont flottant au Canada qui traverse le lac Okanagan. Parmi les autres endroits à visiter, mentionnons le Centennial Museum (où l'on peut admirer des objets de fabrication indienne, des fossiles et une section réservée à l'histoire naturelle), le Jacksons Indian Museum, le parc municipal et la plage municipale, les caves à vin Calona. Pendant l'hiver, on peut faire du ski dans les diverses stations de la région, en particulier à Big White Ski Resort et à Last Mountain Chair Lift and Ski Area. Il y a aussi plusieurs terrains de golf répartis un peu partout dans la région. De toutes ces festivités, les Régates internationales demeurent la principale attraction. La plus importante activité aquatique au Canada, elles attirent de nombreux visiteurs sur le bord du lac Okanagan où elles ont lieu. A l'entrée du parc municipal, on peut voir une sculpture représentant des voiles et une seconde représentant le monstre Ogopogo qui, croyaient les Indiens autrefois, hantait les eaux du lac.

Hébergement

Big White Motor Lodge, 1891 Parkinson Way, Kelowna V1Y 7V6. 50 chambres, TV, téléphone, radio, piscine. Tél.: 860-3982.

Caravel Motor Inn, 1585 Abbott Street, Kelowna V1Y 1A8. 40 chambres, TV, téléphone, piscine, salle à manger. Tél.: 762-0700.

Inn Towner Motel, 1627 Abbott Street, Kelowna V1Y 1A9. 46 chambres, TV, téléphone, piscine. Tél.: 762-2333.

Kelowna Sandman Inn, route 97 Nord, 2130 Harvey Avenue, Kelowna V1Y 6G8. 120 chambres, TV, téléphone, bain tourbillon, sauna, salle à manger. Tél.: 860-6409.

La Mission Flagg Inn, 579 Truswell Road and Lakeshore Road, Kelowna V1Y 1X5. 39 chambres, TV, téléphone, sauna, salle à manger. Tél.: 764-4127.

Royal Ann Hotel, 348 Bernard Street (centre-ville), Kelowna V1Y 7P1. Près de la plage. 50 chambres, TV, téléphone, sauna, salle à manger, bar. Tél.: 762-2601.

Wayside Motor Inn, 2639, route 97 Nord, Kelowna V1Y 4J6. 43 chambres, TV, téléphone, chambres dans section de non-fumeurs. Tél.: 860-2255.

Camping

Bluebird Bay Resort (15 chambres, 5 emplacements pour tentes, 5 emplacements pour remorques): 4004 Lakeshore Road, Kelowna V1W 1V6. Plage. Tél.: 764-4287.

Hiawatha Park (25 emplacements pour tentes, 50 emplacements pour remorques): 3775 Lakeshore Road, Kelowna V1Y 1W9. Près de la plage municipale; toilettes, terrain de jeu, dépanneur. Tél.: 762-3412.

NOTE: De nombreux autres hôtels ou motels ne sont pas inclus dans cette liste. On peut s'informer au bureau d'information touristique à Kelowna ou consulter le dépliant **Travel Information & Accommodation Directory** distribué gratuitement par le gouvernement de la Colombie-Britannique (1117 Wharf Street, Victoria V8W 2Z2, B.C.). Notons enfin que les francophones peuvent s'adresser au Centre culturel français (1823 Harvey Street, suite 208-210, Kelowna; tél.: 860-4074; code postal V1Y 6G4) pour tout renseignement d'intérêt touristique.

Adresse utile

Kelowna Chamber of Commerce, Box 398, Kelowna, British Columbia V1Y 7N8.

KEREMEOS (jonction des routes 3 et 3A)

Keremeos est votre premier contact avec la riche vallée de l'Okanagan. Les kiosques à fruits sur le bord des routes y sont nombreux.

Hébergement

Elk Motel, R.R. 1, Keremeos V0X 1N0. 9 chambres, TV, piscine publique. Tél.: 499-2043.

KIMBERLY

Surnommée la « Cité bavaroise des Rocheuses » à cause de ses nombreuses maisons décorées dans le style bavarois, Kimberley, la ville la plus haute du Canada, a une vocation surtout minière avec l'immense mine de plomb et de zinc de Sullivan. On peut visiter celle-ci ainsi que le concentrateur de minerai et l'usine de production d'engrais chimiques de Kimberley. Les jardins Cominco contiennent plusieurs variétés de fleurs, d'arbres et d'arbustes.

Lieu d'intérêt

La principale manifestation est le Festival bavarois qui se tient en juillet. On peut se rendre aussi au parc historique provincial de Fort Steele, près de Cranbrook, et à Fairmount Hot Springs, au nord de Kimberley, sur la route 93.

Hébergement

Kim Brook Inn, 2665 Warren Avenue, Kimberley V1A 1T6. 34 chambres, TV, téléphone, salle à manger, casse-croûte. Tél.: 427-4855.

Rocky Mountain Condominium Resort, Box 40, Kimberley V1A 2Y5. 36 chambres, téléphone, salle à manger, sauna, piscine, foyer, cuisinette. Tél.: 427-4881.

Silver Birch Chalets, Box 264, Kimberley V1A 2Y6. 56 chambres, centre de ski, TV, piscine, téléphone, foyer. Tél.: 427-4881.

Camping

Happy Hans Kampground (60 emplacements pour

tentes, 40 emplacements pour remorques): Box 40, Kimberley V1A 2Y5. A 1,5 km au nord du centre-ville. Douches, toilettes, terrain de jeu. Tél.: 427-4663.

Parc provincial Wasa Lake (104 emplacements pour camping, 80 tables de pique-nique): à 20 km de Fort Steele. Plage.

Adresse utile

Kimberley Chamber of Commerce, Box 63 Kimberley, British Columbia V1A 2Y5.

KITIMAT

Kitimat, fondé au début des années 50 par Alcan, abrite une puissante centrale hydro-électrique. En plus de cet attrait touristique (des visites sont organisées par Alcan), Kitimat est aussi connu pour sa proximité aux Lakelse Lake Hot Springs, une autre station d'eau chaude. On peut également visiter le musée du Centenaire de Kitimat. La pêche est également excellente dans la région.

Hébergement

Aluminium City Motel Ltd., 633 Dadook Avenue, Kitimat V8C 2B4. 50 chambres, TV, téléphone, radio, restaurant. Tél.: 632-3102.

Chalet Motel, 852 Tsimshian Blvd., Kitimat V8C 1T5. 50 chambres, TV, téléphone, sauna, restaurant, Tél.: 632-4615.

Camping

Voir Terrace.

Adresse utile

Kitimat Chamber of Commerce, 77 Swan Street, Kitimat, British Columbia V8C 1K2.

LANGLEY (route 1A)

L'économie de la région de Langley, dans la vallée du Fraser, à environ une demi-heure de voiture de Vancouver, est basée sur l'agriculture et l'industrie laitière.

Points d'intérêt

Parmi les endroits à visiter, mentionnons le fort Langley, à environ 10 km au nord de Langley, le musée Langley Centennial, le parc régional de Campbell Valley et le Musée de machinerie agricole de Colombie-Britannique (B.C. Farm Machinery Museum).

Hébergement

The West Country Hotel, 20222-56th Avenue, Langley V3A 3Y5. 50 chambres, TV, téléphone, casse-croûte, radio, salle à manger. Tél.: 530-5121.

Westward-Ho Motel, 19650 Fraser Highway 1A, Langley V3A 4C7. 54 chambres, TV, téléphone. Tél.: 534-9238.

Camping

Datwiler's Trailer Park (16 emplacements pour tentes, 22 emplacements pour remorques): 22301 Fraser Highway, Langley V3A 4H5. Situé à 3 km à l'est de la ville de Langley. Toilettes, douches, buanderie, poste de vidange. Tél.: 534-5514.

Lombardy Campsite (36 emplacements pour tentes, 24 emplacements pour remorques): Box 692, Fort Langley V0X 1J0. Douches, buanderie, poste de vidange. Tél.: 888-2244.

LYTTON (route 1, Transcanadienne)

Point de rencontre de la rivière Thompson et du Fraser, Lytton offre un contraste frappant de la couleur des eaux des deux cours d'eau: celles du Fraser sont grisâtres, celles de la Thompson bleues.

Hébergement

Lytton Pines Motel, Box 249, Lytton V0K 1Z0. Situé au nord de Lytton. 17 chambres, TV, casse-croûte. Tél.: 455-2322.

Camping

Jade Springs Park (25 emplacements pour tentes, 10 emplacements pour remorques): Box 97, Lytton V0K 1Z0. A moins de 3 km à l'est de Lytton, sur la Transcanadienne. Toilettes, douches, dépanneur, restaurant. Tél.: 455-2351.

MERRITT (route 5)

Situé à peu près à mi-chemin entre Kamloops et Princeton, Merritt est une région de lacs et d'élevage. Parmi les activités sportives, mentionnons la pêche, le rodéo de Nicola Valley (en septembre) et le rodéo intérieur (en mai).

Hébergement

Grasslands Motor Hotel, Box 939, Merritt V0K 2B0. 54 chambres, TV, téléphone, piscine, salle à manger. Tél.: 378-2292.
Sportsmans Motel, Box 850, Merritt V0K 2B0. 31 chambres, TV, téléphone, piscine extérieure, sauna réfrigérateur. Tél.: 378-2207.

Camping

Chataway Lakes (20 emplacements pour tentes, 15 chambres): Box 294, Merritt V0K 2B0. Camp de pêche. Electricité, douches, sauna, glace.

NANAIMO

Deuxième ville en importance de l'île de Vancouver

après le Victoria métropolitain, Nanaimo est un nom indien signifiant « confédération de cinq tribus locales ». Nanaimo est surtout réputé pour la course de baignoires qui a lieu chaque année, en juillet, pendant le Festival de la mer, entre Nanaimo et Vancouver. La ville de Nanaimo est reliée à Vancouver par un service de traversiers.

Activités et points d'intérêt

Ancien fort de la Compagnie de la Baie d'Hudson, le Bastion fut construit en 1853 après la découverte de gisements de charbon. Aujourd'hui un musée, il est ouvert au public de mai à août.

Le parc provincial Petroglyph: on peut y voir de très vieilles sculptures indiennes gravées sur les rochers du parc.

Parc Bowen: situé au coeur de la ville, c'est surtout un vaste terrain de jeu: piscine, courts de tennis, terrain de pique-nique, quilles sur gazon, étang de canards.

Pêche: on a le choix entre la pêche en haute mer ou dans un des nombreux lacs environnants.

Musée du Centenaire (Centennial Museum): on peut y voir des maquettes de mines de charbon anciennes, des collections d'archives racontant l'histoire de la ville de Nanaimo et de la communauté chinoise de Nanaimo, une exposition indienne des Indiens de la côte du Nord-Ouest. (Prix d'entrée.)

Hébergement

Big 7 Motel, 736 Nicol Street, Nanaimo V9R 4V1. 59 chambres, TV, téléphone, glace. Tél.: 754-2328.

Harbourside Villa, 70 Church Street, Nanaimo V9R 5H4. 98 chambres, TV, téléphone, restaurant. Tél.: 753-3211.

Tally-Ho and Country Inn, No 1 Terminal Avenue, Nanaimo V9R 5R4. 80 chambres, TV, téléphone, radio, piscine extérieure chauffée, restaurant. Tél.: 753-2241.

Attendez-vous de voir souvent des chèvres de montagne en traversant le parc de Jasper.

Le glacier Athabasca (Columbia Icefield).

Le plus haut sommet des Rocheuses canadiennes —
le mont Robson, 3 954 mètres.

Un magnifique jardin japonais à l'Université de la
Colombie-britannique.

Le jardin de roses de Butchart Gardens.

L'édifice du Parlement à Victoria.

Le pont naturel dans le parc national Yoho vaut le détour.

Camping

Island Tent and Trailer Park (20 emplacements pour tentes et 32 emplacements pour remorques): R.R. 4, Island Highway, Nanaimo V9R 5X9. A 8 km au sud de Nanaimo. Toilettes, douches. Tél.: 754-5733.

Jingle Pot Campsites Ltd. (28 emplacements pour tentes, 22 emplacements pour remorques): R.R. 3, Site K, Jingle Pot Rd, Nanaimo V9R 5K3. Toilettes, douches, magasin, glace. Tél.: 758-7156.

Adresse utile

Nanaimo Chamber of Commerce, 100 Cameron Drive, Nanaimo, British Columbia V9R 2X1.

NELSON

Les mines et l'industrie forestière sont les principales activités économiques de Nelson.

Activités et points d'intérêt

La principale manifestation de la ville est le Festival de curling de la mi-été (Midsummer Bonspiel) qui se tient en juillet et qui dure une semaine. Quant à la région environnante, elle offre bien des endroits intéressants à visiter, en particulier le musée de Nelson, l'édifice du Centenaire, le Musée d'histoire naturelle au parc Kootenay (où il est possible de camper) et les jardins des parcs Lakeside et Gyro.

Hébergement

Peebles Motor Inn, 153 Baker Street, Nelson V1L 4H1. 50 chambres, TV, téléphone, salle à manger. Tél.: 352-3525.

The Villa Motel, Box 429, Nelson V1L 5R2. 44 chambres, TV, téléphone, restaurant, piscine. Situé sur la route 3A. Tél.: 352-3546.

Camping

City Tourist Park (24 emplacements pour tentes, 10 emplacements pour remorques): 502 Vernon Street, Nelson V1L 4E8. Toilettes, douches, tables de pique-nique. Tél.: 352-5511.

Crescent Beach Resort (7 chambres, 10 emplacements pour tentes, 90 emplacements pour remorques): R.R. 3, Nelson V1L 5P6. A 18 km à l'est de Nelson. Toilettes, buanderie, glace, dépanneur, descente pour bateaux. Tél.: 825-4314.

Adresse utile

Nelson Chamber of Commerce, 501 Front Street, Nelson, British Columbia V1L 4B4.

OSOYOOS

Situé près de la frontière canado-américaine, Osoyoos doit son attrait touristique au lac du même nom où l'on peut camper, pêcher ou se prélasser sur une de ses nombreuses plages sablonneuses. Il y a aussi un musée qui mérite d'être vu. Parmi les manifestations annuelles, mentionnons les régates de bateaux à voile sur le lac Osoyoos en juin et le Festival de la cerise en juillet.

Hébergement

Desert Motor Inn, Highway 3, Box 458, Osoyoos V0H 1V0. 48 chambres, TV, buanderie, piscine, restaurant. Tél.: 495-6525.

Safari Beach Motel, Box 445, Osoyoos V0H 1V0. Lakeshore Drive. 39 chambres, TV, téléphone, piscine, plage, location d'embarcations. Tél.: 495-7217.

Camping

Blue Blinker Tent and Trailer Court (60 emplacements pour tentes, 13 emplacements pour remorques): R.R. 1, 4403-85th Street, Osoyoos V0H 1V0. Plage, terrain de jeu, marina. Tél.: 495-6047.

Shady Lagoon Campsite (20 emplacements pour tentes, 60 emplacements pour remorques): R.R. 1, Highway 97 S, Osoyoos V0H 1V0. Plage, buanderie, toilettes, glace, dépanneur. Tél.: 495-7559.

The Oasis (80 emplacements pour tentes, 60 emplacements pour remorques): Lakeshore East, R.R. 1, Osoyoos V0H 1V0. Plage, buanderie, douche, dépanneur. Tél.: 495-6202.

PARC NATIONAL PACIFIC RIM

Créé en 1970, ce parc de 389 km², situé sur la côte ouest de l'île de Vancouver, comprend trois parties: Long Beach (une plage de 11 km de long), l'archipel Broken Islands (auquel on accède par bateau à partir de Bamfield, Toquart Bay, Ucluelet et Port Alberni) et le sentier West Coast. Dans ce magnifique parc, on peut se livrer à plusieurs activités sportives dont la pêche, la plongée sous-marine, les excursions dans les sentiers forestiers. Quatre réserves indiennes, situées dans l'archipel Broken Islands, sont interdites au public.

Adresse utile

Directeur du parc national Pacific Rim, Box 280, Ucluelet, British Columbia V0R 3A0.

Camping

Pointe Green (92 emplacements pour tentes et remorques): à 12 km au nord du carrefour des routes Ucluelet et à 4 km sur la route 4. Toilettes, poste de vidange, foyers, bois.

Schooner (65 emplacements pour camping sauvage): secteur nord de la plage Long Beach. Eau, toilettes.

PARC NATIONAL YOHO

Hébergement

Wapta Lodge, Box 9, Lake Louise, Alberta T0L 1E0.
50 chambres, piscine, sauna, salle à manger. Tél.:
343-6486.

PARC PROVINCIAL BOWRON LAKE

Hébergement

Bowron Lake Lodge and Resorts, 740 Vaughan
Street, Quesnel V2J 2T5. 19 chambres, restaurant,
glace, plage, salle de bain. Tél.: 992-2733.

Camping

*Chain of Lakes Canoe Outfitters and Lakeshore
Campsite* (20 emplacements pour tentes, 20 emplacements pour remorques): 740 Vaughan Street,
Quesnel V2J 2T5. Plage, douches, toilettes à chasse
d'eau, dépanneur. Tél.: 992-2733.

PARC PROVINCIAL GARIBALDI ET WHISTLER

Hébergement

Garibaldi Park Lodge, autoroute 99, Garibaldi V0N
3G0. 14 chambres, salle de repos, canotage, pêche.
Tél.: 932-5222.

Highland Lodge, Box 70, Whistler V0N 1B0. Près
des remonte-pentes. 55 chambres, restaurant,
sauna. Tél.: 932-5525.

The Blackcomb, General Delivery, Whistler V0N
1B0. 72 chambres, TV, téléphone, restaurant, piscine intérieure, sauna, bain tourbillon. Tél.: 932-4155.

Whistler Creek Lodge, 2021 Karen Crescent, Whistler, V0N 1B0. 44 chambres, piscine chauffée, rac-
quetball, tennis, sauna, jacuzzi. À proximité des
remonte-pentes. Tél.: 932-4111.

Camping

Alice Lake (95 emplacements): camping provincial situé près de Squamish, route 99. Poste de vidange.

PARC PROVINCIAL MANNING

Hébergement

Manning Park Lodge, Manning Park V0X 1R0. 68 chambres, sauna, restaurant, courts de tennis. Situé près des lacs; location de canots ou chaloupes; marche en forêt. Tél.: 840-8822.

PEACHLAND (route 97)

Situé entre Penticton et Kelowa, sur la rive ouest du lac Okanagan, Peachland est au coeur de la vallée de l'Okanagan. Depuis 1979, la compagnie des vins Claremount y a établi ses caves (à 1 km de la route 97, au nord de Peachland, sur Trépanier Bench Road). On peut les visiter et goûter aux vins. Brenda Mines, une compagnie qui traite le cuivre et le molybdène, organise aussi des visites de ses installations.

Hébergement

Bayview Motel, Highway 97, R.R. 1, site 17, Peachland V0H 1X0. 20 chambres, TV, piscine. Tél.: 767-2265.

Totem Inn Motel, Beach Avenue, Box 202, Peachland V0H 1X0. 22 chambres, casse-croûte, salle à manger. Tél.: 767-9191.

Camping

Todd's Tent Town (30 emplacements pour tentes, 15 emplacements pour remorques): Box 80, Beach Avenue, Peachland V0H 1X0. Situé à 1,5 km au nord de Peachland, près de la plage. Douches, terrain de jeu, baignade, pêche. Tél.: 767-2344.

PENTICTON (route 97)

Malgré sa vocation fruitière reconnue (on y trouve le premier verger de la vallée de l'Okanagan), Penticton, la ville la plus au sud du lac Okanagan, est surtout célèbre comme lieu de villégiature. Le climat, en effet, y est des plus cléments. Ce qui permet de pratiquer la plupart des sports d'été. De plus, en été, se tient le Festival de la pêche.

Points d'intérêt

Outre la plage, il est possible de visiter le parc zoologique, le Centre d'arts renfermant des articles sur la vie des Indiens et des pionniers et les caves des vins Casabello.

Hébergement

Bel Air Motel, 2670 Skaha Lake Road, Penticton V2A 6G1. 41 chambres, TV, téléphone, piscine. Tél.: 492-6111.

El Rancho Motel, 877 Westminster Avenue, Penticton V2A 1L1. 74 chambres, TV, téléphone, restaurant, salle à manger, piscine, courts de tennis. Tél.: 492-5736.

Empire Motel, 3495 Skaha Lake Road, Penticton V2A 6G6. 32 chambres, TV, téléphone, piscine. Tél.: 493-2323.

Flamingo Motel Budget Host, 2387 Skaha Lake Road, Penticton V2A 6E8. 26 chambres, TV, piscine extérieure. Tél.: 492-8333.

Penticton Inn, 333 Martin Street, Penticton V2A 5K7. 109 chambres, TV, téléphone, piscine intérieure, sauna, salle à manger, magasin de souvenirs. Tél.: 493-0333.

Penticton Travelodge, 950 Westminster Avenue, Penticton V2A 1L2. 36 chambres, TV, téléphone, piscines intérieure et extérieure, restaurant, salle à manger, sauna, cuisinettes. Tél.: 492-0225.

La plage de Penticton sur le lac Okanagan.

Telstar Motor Inn, 3180 Skaha Lake Road, Penticton V2A 6G4. 60 chambres, TV, téléphone, piscine. Tél.: 493-0311.

Camping

Camp-Along Tent and Trailer Park (54 emplacements pour tentes, 24 emplacements pour remorques): Box 544, Penticton V2A 6K9. Situé sur la route 97 sud. Toilettes, douches, buanderie. Tél.: 497-5584.

Skaha Beachcomber Recreational Park (16 emplacements pour tentes, 174 emplacements pour remorques): Skaha Lake Road, R.R.2, Penticton V2A 6J7. Toilettes, douches, buanderie, dépanneur, terrain de jeu. Tél.: 492-8828.

Note: La ville et la région de Penticton regorgent d'hôtels, de motels, de terrains de camping (autant pour les campeurs avec tentes que pour les campeurs avec roulottes). Informez-vous au bureau d'information touristique ou consultez le **Travel Information & Accommodation Directory,** distribué gratuitement par le gouvernement de la Colombie-Britannique (1117 Wharf Street, Victoria, British Columbia V8W 2Z2).

Adresse utile:
Penticton Chamber of Commerce, Jubilee Pavilion. 185 Lakeshore Drive, Penticton, British Columbia V2A 1B7.

PORT ALBERNI

Grâce à l'industrie forestière, les résidants de Port Alberni (pop. 19585) jouissent d'un des plus hauts niveaux de vie au Canada. C'est d'ici que partent les bateaux pour se rendre à l'archipel Broken Islands du parc national Pacific Rim. C'est également de Port Alberni qu'on peut prendre la route pour se rendre à Tofino, Ucluelet et Long Beach, sur la côte ouest de l'île de Vancouver. On peut faire une croisière d'une journée à bord du *Lady Rose* pour faire le tour des petites villes de la côte du Pacifique.

Activités et points d'intérêt

On peut voir, gravées dans le calcaire par les Indiens, des silhouettes d'animaux mythologiques dans le parc provincial Sproat Lake où l'on peut aussi s'adonner à la pêche. Le musée d'Alberni Valley mérite aussi une visite. Parmi les festivités, mentionnons le Festival du saumon de Port Alberni au début de septembre.

Hébergement

Hospitality Inn, 3835 Redford Street, Port Alberni V9Y 3S2. 50 chambres, TV, téléphone, radio, restaurant. Tél.: 723-8111.

Rodeway Inn Barkley Pacific, 4277 Stamp Avenue, Port Alberni V9Y 7X8. 88 chambres, TV, téléphone, piscine, sauna, bain tourbillon, restaurant. Tél.: 724-3344.

Tyee Village Motel, 4151 Redford Street, Port Alberni V9Y 3R6. 53 chambres, TV, téléphone, piscine, casse-croûte, salle à manger. Tél.: 723-8133.

Camping

Redford Motor Inn (30 chambres, 10 emplacements pour remorques): 3723 Redford Street, Port Alberni V9Y 3S3, TV, téléphone, buanderie, restaurant. Tél.: 724-0121.

Voir aussi Parc national Pacific Rim.

PORT MCNEIL ET PORT HARDY

Situé à environ deux heures de route de Campbell River, Port McNeil est un petit village tranquille du nord de l'île de Vancouver. Son industrie principale est la coupe du bois et son principal attrait touristique la pêche.

Quant à Port Hardy (pop. 400), à environ 20 km au nord de Port McNeil, c'est une petite agglomération qui vit de l'industrie forestière et de l'industrie minière. Une des plus grandes mines de cuivre en Amérique du Nord se trouve à environ 20 km de là, à l'ouest.

Points d'intérêt

Dans la région, on peut visiter l'Eternel Fountain, le Devil's Bath, la mine de cuivre (durant les mois d'été seulement), le vieux fort de la Compagnie de la Baie d'Hudson, à Fort Rupert.

Hébergement

Haida-Way Motor Inn, Box 399, Port McNeil V0N 2R0. 68 chambres, TV, téléphone, salle à manger, casse-croûte. Tél.: 956-3373.

Seagate Motor Hotel, Box 28, Port Hardy V0N 2P0. 92 chambres, TV, téléphone, restaurant, casse-croûte, bar. Tél.: 949-6348.

Thunderbird Inn, Box 88, Port Hardy V0N 2P0. 50 chambres, TV, téléphone, salle à manger, cocktail lounge. Tél.: 949-7767.

Camping

Quatse Campground (47 emplacements pour tentes): Port Hardy V0N 2P0. Tél.: 949-8233.

POWELL RIVER (route 101)

Situé au nord-ouest de Vancouver, Powell River (pop. 16000) abrite une des plus grandes papeteries au monde, la papeterie MacMillan Bloedel. Des visites y sont organisées (les enfants de moins de 12 ans ne sont pas admis). La pêche dans les alentours est excellente. Le musée Centennial Building mérite une visite.

Hébergement

Beach Garden Resort Hotel, 7074 Westminster Street, Powell River V8A 1C5. 66 chambres, TV, téléphone, restaurant, sauna, piscine intérieure, courts de tennis. Tél.: 485-6267.

Camping

Willingdon Beach Municipal Campground (20 emplacements pour tentes, 16 emplacements pour remorques): Marine Avenue, Powell River V8A 2M1. Douches, toilettes, buanderie, terrain de jeu. Tél.: 485-2242.

PRINCE GEORGE

Centre administratif important de la région nord de la Colombie-Britannique, Prince George (pop. 65 000) n'était à l'origine qu'un poste de fourrures. Aujourd'hui, Prince George, comme bien des villes de la Colombie-Britannique, a une économie axée sur la pulpe et les produits forestiers.

Point d'intérêt

La ville a fait reconstruire le fort Fraser, fondé en 1807, sur son emplacement initial dans le parc de Fort George.

Hébergement

Delta's The Inn of the North, 770 Brunswick Street, Prince George V2L 2C2. 156 chambres, TV, téléphone, piscine intérieure, sauna, salle à manger, boutiques. Tél.: 563-0121.

Goldcap Motor Inn Ltd., 1458 Seven Avenue, Prince George V2L 3P2. 80 chambres, TV, téléphone, restaurant. Tél. 563-0666.

Sandman Inn Chain, 1650 Central Street, Prince George V2M 3C2. 72 chambres, TV, téléphone, piscine, sauna. Tél.: 563-8131.

Simon Fraser Inn, 600 Québec Street, Prince George V2L 1W7. 80 chambres, TV, téléphone, restaurant, boutique. Tél.: 562-3181.

Slumber Lodge, 910 Victoria Street, Prince George V2L 2K8. 54 chambres, TV, téléphone, piscine intérieure, sauna, restaurant. Tél.: 563-1267.

Camping

Spruceland KOA (15 emplacements pour tentes, 80 emplacements pour remorques): Box 1047, Prince George V2N 4V1. Sur la route Kimball, à l'ouest de la route 97. Toilettes, douches, buanderie, terrain de jeu, dépanneur. Tél.: 964-7272.

Adresse utile

Prince George Chamber of Commerce, 1198 Victoria Street, Prince George, British Columbia V2L 2L2.

PRINCE RUPERT

À l'extrémité ouest de la route 16 qui passe par Edmonton et Jasper, Prince Rupert (pop. 14 754) est un important port de mer et le port d'attache d'une importante flotte de pêche (harengs, saumon et flétan). C'est également un port d'escale pour les traversiers qui partent de l'Alaska.

Point d'intérêt

Le Musée du Nord de la Colombie-Britannique renferme une collection indienne dont deux authentiques totems des Indiens haidas et tsimpseans.

Hébergement

Crest Motor Hotel, 222, First Avenue West, Box 277, Prince Rupert V8J 3P6. 100 chambres, TV, douches, casse-croûte, salle à manger. Tél.: 624-6771.

Drifter Motor Hotel, 1080, Third Avenue West, Prince Rupert V8J 1N1. 52 chambres, TV, téléphone, restaurant. Tél.: 624-9161.

Highliner Inn, 815, First Avenue West, Box 968, Prince Rupert V8J 3S2. 96 chambres, TV, téléphone, sauna, restaurant. Tél.: 624-9060.

Prince Rupert Hotel, Second Avenue et Sixth Street, Box 338, Prince Rupert V8J 3P9. 95 chambres, TV, restaurant, cabaret. Tél.: 624-6711.

Camping

Parkside Resort Motel (33 chambres, 37 emplacements pour remorques): 11th Avenue et McBride Street, Prince Rupert. Près du centre-ville. TV, téléphone, radio. Tél.: 624-9131.

Adresse utile

Prince Rupert Chamber of Commerce, Box 636, Prince Rupert, British Columbia V8J 3S1.

PRINCETON

Situé à la jonction de la route 5 menant à Kamloops et de la route 3 conduisant à la vallée de l'Okanagan (à l'est) ou de Vancouver (à l'ouest), Princeton jouit d'une température des plus clémentes.

Activités et points d'intérêt

De nombreux endroits de camping ou de pique-nique s'offrent au visiteur le long de la rivière Similkameen. D'intérêt touristique, mentionnons la mine de cuivre du village fantôme Coalmont, ainsi que le musée de Princeton, situé sur l'avenue Vermilion, où l'on peut voir des objets d'une ancienne ville de chercheurs d'or. De plus, pour les amateurs de pêche, la truite arc-en-ciel abonde dans de nombreux lacs des alentours.

Hébergement

Sandman Inns, Box 421, Princeton V0X 1W0. 52 chambres, TV, téléphone, sauna, restaurant. Tél.: 295-6923.

Villager Motel, Box 160, Princeton V0X 1W0. 26 chambres, TV, téléphone, cuisinette. Tél.: 295-6996.

Camping

Castle Park (20 emplacements pour tentes, 73 emplacements pour remorques): Box 1268, Princeton V0X 1W0. A environ 1,5 km de la route 5. Piscine, restaurant. Tél.: 295-6214.

Nendick's Camp (17 emplacements pour tentes, 15 emplacements pour remorques): Box 100, Hedley V0X 1K0. À 25 km à l'est de Princeton, sur la route 3. Toilettes, douches, cuisine, terrain de jeu, glace, baignade, pêche.

QUESNEL

Autre ville témoin de la ruée vers l'or, Quesnel (pop. 7 637) n'est qu'à 100 km de Barkerville. L'économie est principalement axée sur l'élevage, les mines, les produits forestiers et le tourisme.

Activités et points d'intérêt

Le musée de Quesnel rappelle l'époque de la ruée vers l'or. On peut également visiter un autre musée dans le parc Le Bourdais. À la mi-juillet, Quesnel célèbre ses origines pendant les Jours de Billy Barker, un prospecteur, avec concours de batée, de radeaux et rodéo. Il est encore possible de trouver des pépites d'or au bord des nombreux cours d'eau qui traversent la région.

Hébergement

Billy Barker Inn, 308 McLean Street, Quesnel V2J 2N9. 58 chambres, TV, téléphone, radio, casse-croûte, restaurant, taverne, salle à manger. Tél.: 992-5533.

Cascade Flag Inn, 383 St. Laurent Avenue, Quesnel V2J 2E1. 35 chambres, TV, téléphone. Tél.: 992-5575.

Valhalla Motel, Box 4625, Quesnel V2J 3J8. À 5 km au sud de Quesnel. 39 chambres, TV, téléphone, sauna, cuisinette, restaurant. Tél.: 747-1111.

Camping

Kabana Kourt Trailer Park (27 emplacements pour tentes, 40 emplacements pour remorques): 1150 Nelson Street, Quesnel V2J 2Z6. Le long de la rivière Quesnel. Toilettes, douches, pêche. Tél.: 992-5791.

Adresse utile

Quesnel Chamber of Commerce, Box 4400, Quesnel, British Columbia V2J 3J4.

RADIUM HOT SPRINGS (jonction des routes 93 et 95)

Situé à 135 km de Banff et à 145 km de Cranbrook, Radium Hot Springs se trouve dans la partie sud du parc national de Kootenay. Comme son nom l'indique, des sources thermales jaillissent à cet endroit. On peut s'y baigner. Deux compagnies d'autobus, la Greyhound et la Bugaboo Coach Lines, font la liaison entre les sources et le village Radium Hot Springs. Pendant l'hiver, on peut faire du ski alpin et du ski de fond.

Hébergement

Big Horn Motel, Box 176, Radium Hot Springs V0A 1M0. 22 chambres, cuisinettes. Tél.: 347-9522.

Cedar Motel : Box 32, Radium Hot Springs V0A 1M0. 18 chambres. TV. Situé dans la partie sud de Radium Hot Springs. Tél.: 347-9463.

Tuk-In Motel, Box 57, Radium Hot Springs V0A 1M0. 12 chambres, TV. Tél.: 347-9464.

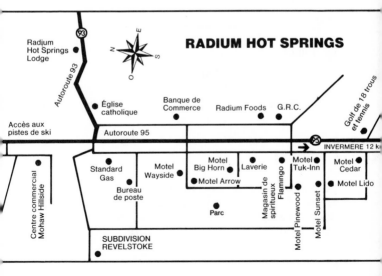

Camping

Radium Campground (50 emplacements pour tentes, 120 emplacements pour remorques): Box 28, Radium Hot Springs V0A 1M0. Douches, toilettes à chasse d'eau, buanderie. Ouvert d'avril à septembre. Tél.: 347-9715.

REVELSTOKE (route Transcanadienne 1)

Pour plusieurs, Revelstoke n'est qu'un relais lorsqu'on visite la Colombie-Britannique. Pourtant, cette petite ville, nichée au coeur des monts Monashee, a un cachet bien à elle. Pour le visiteur qui veut bien y faire une halte, bien des choses sont à voir. Qu'on en juge: Mica Dam, Forêt enchantée (The Enchanted Forest), village fantôme de Three Valley Cap, cour de justice de Revelstoke et, bien sûr, baignade à Canyon Hotspring.

Hébergement

Best Western Wayside Inn, Box 59, Revelstoke V0E 2S0. 88 chambres, TV, téléphone, piscine, restautant. Tél.: 837-6161.

Columbia Slumber Lodge, 1601, Second Street West, Box 421, Revelstoke V0E 2S0. 54 chambres, TV, téléphone, piscine chauffée. Tél.: 837-2191.

Three Valley Gap Motor Inn, Box 860, Revelstoke V0E 2S0. Situé à 20 km à l'ouest de Revelstoke. 79 chambres, piscine, restaurant, bain tourbillon, plage, pêche. Tél.: 837-2109.

Camping

Lamplighter Motel and Campground (13 chambres, 15 emplacements pour tentes, 30 emplacements pour remorques): Box 150, Revelstoke V0E 2S0. Terrain de jeu, toilettes, douches. Tél.: 837-3385.

COL DE ROGERS (Rogers Pass) (Transcanadienne)

Le tronçon de la route Transcanadienne qui franchit le col de Rogers est l'une des plus belles routes de montagne du monde.

Hébergement

Glacier Park Lodge, Rogers Pass V0E 2S0. 50 chambres, téléphone, salle à manger, cafétéria, sauna, piscine. A 72 km à l'est de Revelstoke. Tél.: 837-2126.

Camping

Voir Parcs nationaux.

SALMON ARM

Situé sur la Transcanadienne, à mi-chemin entre Calgary et Vancouver, Salmon Arm est un lieu de villégiature. Son économie est basée sur les ressources de la forêt et de l'agriculture.

Points d'intérêt

Chaque année, en septembre, on célèbre par des festivités l'arrivée des saumons au lac Shuswap. Un musée est ouvert au public sur la rue Harris.

Hébergement

Salmon Arm Motor Hotel, Box 909, Salmon Arm V0E 2T0. 52 chambres, TV, téléphone, piscine, jardins. Tél.: 832-2129.

Shuswap Inn, Box 1540, Salmon Arm V0E 2T0. Situé sur la route Transcanadienne. 50 chambres, TV, téléphone, sauna, restaurant. Tél.: 832-7081.

Camping

Salmon Arm KOA (30 emplacements pour tentes, 38 emplacements pour remorques): Box 1438, Salmon Arm V0E 2T0. A 4 km à l'est de Salmon Arm, sur la route 97B. Toilettes, buanderie, piscine, terrain de jeu. Tél.: 832-6489.

Hidden Valley (10 emplacements pour tentes, 20 emplacements pour remorques): Box 178, Canoe V0A 1K0. A 9 km à l'est de Salmon Arm. Toilettes, douches, buanderie, glace. Tél.: 832-6159.

Adresse utile

Salmon Arm Chamber of Commerce, Box 999, Salmon Arm, British Columbia.

70 MILE HOUSE (route 97)

Simple poste de ravitaillement, 70 Mile House, connue aussi sous le nom de Boyd's House, fut détruite par le feu en 1956. Reconstruite, 70 Mile House remplit encore le même rôle.

Hébergement

Flying U Guest Ranch, Box 69, 70 Mile House V0K 2K0. 22 chambres, 40 emplacements pour tentes. Location à la semaine. Diverses activités possibles telles que canotage, équitation, ski de fond. Tél.: 456-7717.

Camping

Sandy Beach Resort (20 emplacements pour tentes, 11 emplacements pour remorques): Box 29, 70 Mile House V0K 2K0. Situé sur le lac Green. Douches, toilettes à chasse d'eau, buanderie, plage. Tél.: 456-7774.

SICAMUS (jonction de la Transcanadienne et de la route 97A)

Situé dans la région de villégiature du lac Mara, Sicamous est à cheval sur les lacs Shuswap et Mara. Les plages y sont nombreuses. Les amateurs de ski nautique croiseront au cours de leurs ébats plusieurs maisons flottantes (houseboats).

Hébergement

Monashee Motor Inn, Highway 1, Sicamous V0E 2V0. A 1,5 km à l'est de Sicamous. 20 chambres, TV, cuisinettes. Tél.: 836-2575.

Willow Lodge Motel, Box 134, Sicamous V0E 2V0. 21 chambres, TV, piscine. Tél.: 836-2546.

Camping

Holiday Homestead Tent and Trailer Park: (4 chambres, 30 emplacements pour tentes, 45 emplacements pour remorques) R.R. 1, Sicamous V0E 2V0. Situé à 3 km à l'est de Sicamous. Toilettes à chasse d'eau, douches, poste de vidange, buanderie, terrain de jeu, dépanneur. Tél.: 836-2583.

White Pine Beach Resort (10 chambres, 60 emplacements pour tentes, 40 emplacements pour remorques): R.R. 1, Sicamous V0E 2V0. A 1 km au sud de la jonction de la Transcanadienne et de la route 97A. Toilettes, douches, terrain de jeu, plage, pêche. Tél.: 836-2250.

SPENCES BRIDGE (Transcanadienne)

Spences Bridges jouit de la température la plus élevée au Canada. Aussi la culture des fruits, des tomates, du blé d'Inde et des pommes de terre y est-elle excellente.

Hébergement

Sportsman Motel, Box 68, Spences Bridge V0K 2L0. 16 chambres, TV, téléphone, douches, piscine chauffée. Tél.: 458-2212.

Camping

Hilltop Gardens Campground (14 emplacements pour tentes, 14 emplacements pour remorques): Box 119, Spences Bridge V0K 2L0. A moins de 5 km au nord de Spences Bridge. Douches, toilettes à chasse d'eau, foyers, tables de pique-nique, terrain de jeu. Tél.: 458-2288.

SUMMERLAND (route 97)

Situé sur le lac Okanagan, Summerland est une ville à vocation fruitière. On peut visiter une alevinière, une station de recherches du ministère fédéral de l'Agriculture et une conserverie.

Hébergement

Rosedale Motel, Box 780, Summerland V0H 1Z0. 20 chambres, TV, piscine extérieure. Tél.: 494-6431.

Camping

Peach Orchard Campsite (90 emplacements pour tentes): Box 159, Summerland V0H 1Z0. Situé près du centre-ville. Toilettes, douches, tennis.

TERRACE

Petite ville moderne, Terrace doit son nom aux terrasses naturelles que la Skeena a façonnées sur ses rives. Son économie est principalement basée sur l'industrie forestière.

Activités et points d'intérêt

Terrace offre plusieurs facilités pour les sports. On peut faire du golf, du ski alpin ou se livrer aux plaisirs de la pêche et de la chasse. La pêche au saumon est particulièrement populaire dans la rivière Skeena. On peut aussi s'aventurer au fond d'étroits canyons de la rivière Nass en radeau pneumatique. Des eaux thermales jaillissent à 25 km au sud de Terrace. Egalement d'intérêt touristique, les lits de lave au nord de Terrace ainsi que le village indien New Aiyansh.

Hébergement

Lakelse Motor Hotel Ltd., 4620 Lakelse Avenue, Terrace V8G 1R1. 64 chambres, TV, téléphone, restaurant. Tél.: 638-8141.

Sandman Inn Chain, 4828, Hwy 16 West, Terrace V8G 1L6. 70 chambres, TV, téléphone, piscine, intérieure, sauna, restaurant. Tél.: 635-9151.

Slumber Lodge, 4702 Lakelse Avenue, Terrace V8G 1R6. 62 chambres, TV, sauna, restaurant. Tél.: 635-6302, ou réservation de Vancouver: 682-6171.

Camping

Ka-Lum Motor Inn (33 chambres, 10 emplacements pour tentes, 10 emplacements pour remorques): 5522, Hwy 16 West, Terrace V8G 3Z9, téléphone, douches, buanderie, restaurant. Tél.: 635-2362.

Water Lily Bay Resort (10 chambres, 25 emplacements pour tentes): Box 70, Terrace V8G 4A2. Situé au lac Lakelse. Tables de pique-nique, foyers, plage. Tél.: 798-2267.

Adresse utile

4515 Keith Avenue, Terrace, British Columbia.

TRAIL

C'est à Trail (pop. 9976), situé dans la région des Kootenays, qu'on trouve les mines géantes de la compagnie Cominco: la mine d'argent, une des plus importantes au Canada, et les mines de zinc et de plomb, parmi les plus importantes au monde. La compagnie Cominco organise des visites en semaine. Les installations de West Kootenay Hydro méritent aussi une visite. D'intérêt plus touristique, mentionnons les parcs Champion Lakes et Beaver Creek. Trail contribue au Festival des sports de la Colombie-Britannique, en juin, en organisant des compétitions sportives.

Hébergement

Glenwood Motel, 2769 Glenwood Drive, Trail V1R 2S6. 37 chambres, TV, téléphone, piscine, restaurant. Tél.: 368-5522.

Terra Nova Motor Inn, 1001 Rossland Avenue, Trail V1R 3N7. 60 chambres, TV, téléphone, casse-croûte, salle à manger. Tél.: 368-3355.

Camping

Trail Motel and Trailer Park (12 chambres, 10 emplacements pour tentes, 10 emplacements pour remorques): 3080 Highway Drive, Trail V2R 2T3. TV, douches, toilettes. Tél.: 368-8844.

Adresse utile

Trail Chamber of Commerce, 1300 Cedar Avenue, Trail, British Columbia V1R 4C2.

VALEMOUNT (route 5)

L'économie de cette petite ville (pop. 1000) repose principalement sur l'industrie forestière. Il est possible de faire du ski de fond et du ski alpin en hiver. Le mont Robson est à quelques kilomètres de là.

Hébergement

Alpine Motel, Box 228, Valemount V0E 2Z0. 45 chambres, TV, téléphone, sauna, piscine intérieure, restaurant. Tél.: 566-4471.

Mountaineer Inn, Box 217, Valemount V0E 2Z0. 14 chambres, TV, piscine intérieure. Tél.: 566-4477.

Sarak Motel, Box 339, Valemount V0E 2Z0. 72 chambres, TV, téléphone, piscine intérieure, sauna, salle de jeu, salle à manger, casse-croûte. Tél.: 566-4445.

Camping

Alpine KOA Kampground (35 emplacements pour tentes, 35 emplacements pour remorques): Box 217, Valemount V0E 2Z0. Piscine intérieure, dépanneur, buanderie, terrain de jeu, mini-golf, poste de vidange. Tél.: 566-4312.

Yellowhead Campsite and Trailer Park (20 emplacements pour tentes, 20 emplacements pour remorques): General Delivery, Valemount V0E 2Z0. Douches, toilettes, poste de vidange. Situé sur la rivière Swift.

VANCOUVER

Vancouver, sans être la capitale de la Colombie-Britannique, est la ville la plus importante de l'Ouest canadien et son port le terminus des produits des provinces de l'Ouest destinés aux provinces de l'est du Canada. De plus, cette ville possède un charme exotique grâce à un climat doux qui contraste avec celui des grandes villes canadiennes aux hivers rigoureux. Fondé en 1866, à l'époque de la ruée vers l'or, Vancouver vit Victoria lui être préférée comme capitale de la riche Colombie-Britannique. Géographiquement, la ville semble se tapir derrière les montagnes qui l'entourent et face à l'île de Vancouver.

Troisième ville en importance au Canada, jouissant d'un cadre incomparable dans une province riche en forêts, Vancouver est un pôle d'attraction pour les touristes. Flâner dans ses rues, c'est prendre le rythme de vie de la côte Ouest. Qu'on visite Gastown, le « vieux Vancouver », qu'on s'arrête à l'horloge à vapeur, qu'on se promène dans le parc Stanley ou qu'on se repose sur une des plages qui bordent la ville, on reste sous le charme de cette ville. Mais ce n'est pas tout; au nord de Vancouver, on peut s'attarder à la piscifacture (autrefois salmoniculture) et apprendre tout sur la reproduction du saumon, traverser le canyon Capilano sur la passerelle de 135 m qui l'enjambe. Au sud, on peut visiter l'Université de Colombie-Britannique et, pour les adeptes, se faire dorer au soleil à la plage des nudistes, Wreck Beach. Il y a aussi le parc Reine-Elisabeth (ne pas manquer d'y visiter le jardin luxuriant Quarry Gardens et l'observatoire Bloedel), la rue Granville. On peut aussi assister au fameux Festival de la mer avec son saumon grillé et ses courses en baignoires entre l'île de Vancouver et Vancouver. Autant de sites et d'activités qui vous feront aimer Vancouver! Poursuivez votre découverte en vous arrêtant (dans le parc Stanley) à la pointe Hallelujah où un coup de canon est tiré tous les soirs à 21 heures, à Brockton Point. Voyez la réplique du dragon de la proue de l'Empress of Japan, le Hollow Tree...

On s'en voudrait de ne pas se rendre dans le quartier chinois, le deuxième au monde après celui de San Francisco, pour goûter à la cuisine chinoise. Après avoir bien mangé, il sera agréable de faire un petit détour vers Gastown, de s'y promener de boutique en boutique et, si le coeur vous en dit, d'essayer le Sea Bus, qui, comme son nom l'indique, est un bateau qui vous permettra d'accoster à Vancouver-Nord.

Il y a beaucoup de choses à voir et à faire dans cette ville de la côte du Pacifique. Informez-vous au bureau d'information touristique.

Points d'intérêt

Gastown

Il faut réserver toute une soirée pour Gastown afin d'y visiter les boutiques, prendre un repas, voir l'horloge à vapeur ou peut-être s'arrêter à une discothè-

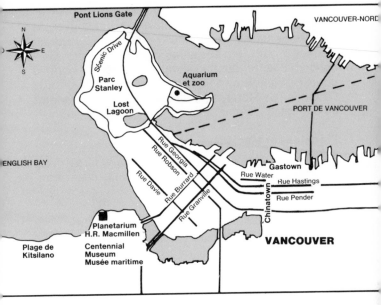

que. Gastown, c'est le vieux Vancouver rénové; flâner dans Gastown, c'est laisser couler le temps sans regarder sa montre; c'est faire un tour de *Sea Bus* pour se retrouver à Vancouver-Nord. Gastown, enfin, c'est l'histoire de Gassy Jack Deighton, le premier à ouvrir un saloon pour les bûcherons de l'endroit en 1867, dont on peut voir la statue à l'entrée est de ce quartier touristique.

Musée de cire de Gastown

Le musée de cire de Gastown, avec ses personnages importants, l'histoire de la ruée vers l'or, la chambre des horreurs et même une statue de cire d'Elvis Presley mérite d'être vu. (21 Water Street.)

Chinatown

À quelques rues de Gastown se trouve le deuxième quartier chinois au monde. En effet, seul San Francisco a une colonie chinoise plus nombreuse. Goûtez à l'excellente cuisine chinoise servie dans une atmosphère typique, voyez les boutiques les plus insolites, l'étalage des objets exotiques sur les trottoirs. Les Chinois de Chinatown sont accueillants, chaleureux.

Parc Reine-Élisabeth

Perché sur le point le plus élevé de Vancouver, le parc Reine-Élisabeth abrite un arboretum et un jardin aménagé dans un ancienne carrière, Quarry Gardens. La serre du conservatoire Bloedel, dont le dôme ressemble à celui du pavillon des Etats-Unis de l'Expo 67 de Montréal, contient plus de 300 variétés de plantes exotiques.

Planétarium MacMillan

Le planétarium MacMillan est situé dans le parc Vanier. Un projecteur perfectionné simule le ciel nocturne sur un dôme.

Musée Maritime

Situé dans le parc Vanier, ce musée abrite le bateau *St. Roch,* le premier navire à réussir la traversée du passage du Nord-Ouest, ainsi que d'autres maquettes de navires.

Aquarium de Vancouver

Situé dans le parc Stanley, on peut voir dans cet aquarium un spectacle de baleines (épaulards) qui intéressera toute la famille. De plus, de nombreuses autres espèces aquatiques attirent l'attention et l'intérêt des jeunes et des moins jeunes.

Université de Colombie-Britannique

Parmi ses 300 bâtiments, on pourra porter son dévolu sur le musée d'Anthropologie, qui intéressera ceux qui veulent découvrir la culture indienne de la côte de l'Ouest, le jardin botanique ou encore les jardins japonais Nitobe, constitués de ponts qui enjambent un étang peuplé de carpes dorées. La plage Wreck Beach tentera sûrement les naturalistes.

Les plages

Third Beach, Second Beach, English Bay Beach, Spanish Beach, Sunset Beach, Kitsilano Beach, Wreck Beach, autant de plages, autant d'occasions de se reposer d'un long voyage.

Vancouver-Nord

Vancouver-Nord abrite plusieurs attractions touristiques: la passerelle suspendue Capilano, la piscifacture de Capilano et le barrage Cleveland. Du sommet de la montagne Grouse, vous pourrez admirer Vancouver, son port et la région.

Propriétés anglaises

Situées à flanc de montagne, ces magnifiques propriétés étalent la richesse de leurs styles architecturaux et surtout leurs incomparables jardins.

Passerelle suspendue de Capilano

Longue de 137 m et suspendue à 70 m au-dessus du canyon de Capilano, cette passerelle plaira aux amateurs de sensations fortes. La traversée à pied est sans danger, mais il est strictement défendu de courir.

Piscifacture Capilano

La rivière Capilano est le cours d'eau qu'empruntent deux variétés de saumons: le coho et le chinook. Pour diverses raisons, la reproduction de ces deux espèces devenant de plus en plus difficile dans leur milieu naturel, le gouvernement fédéral et le gouver-

Le Chinatown de Vancouver, la nuit.

nement provincial ont créé cette piscifacture afin d'en maintenir le rythme. Les résultats de l'expérience sont très prometteurs. C'est un endroit à visiter, surtout lorsque le saumon remonte la rivière pour frayer.

Barrage Cleveland

Construit pour retenir les eaux du lac Capilano, ce barrage est le réservoir d'eau potable de Vancouver. De son lieu élevé, on peut voir les monts Lions se profiler à l'horizon.

Grouse Mountain

C'est le centre de ski le plus près de Vancouver. En été, c'est l'endroit choisi par les amateurs de haute voltige pour faire du deltaplane ou, pour ceux qui aiment les paysages, admirer Vancouver. Par beau temps, on peut voir le volcan Baker. Un téléphérique fait la navette depuis le bas jusqu'au haut de la montagne.

Hébergement

Les hôtels et les motels sont nombreux à Vancouver. Hors du centre-ville, il est préférable de choisir des hôtels qui font partie des grandes chaînes telles que Best Western, Holiday Inn, Sheraton, Flag Inn, etc. Mais vous aurez le choix quant aux hôtels ou motels situés dans le centre-ville. Le *Travel Information and Accommodation Directory,* publié par Tourism British Columbia, a dressé toute une liste d'hôtels que vous pourrez consulter. On peut se procurer cette brochure en écrivant à :

Tourism British Columbia, 1117 Wharf Street, Victoria, British Columbia V8W 2Z2.

Best Western Sands, 1755 Davie Street, Vancouver V6G 1W5. 119 chambres, TV, téléphone, restaurant, casse-croûte. Tél. : 682-1831.

Blue Horizon Town and Country Inn, 1225 Robson Street, Vancouver V6E 1C3. 208 chambres, TV, téléphone, piscine, sauna, salle à manger, casse-croûte. Tél. : 688-1411.

Burrard Motor Inn, 1100 Burrard Street, Vancouver

V6Z 1Y7. 72 chambres, TV, téléphone, restaurant, salle à manger. Tél.: 681-2331.

Centennial Lodge Apartment Hotel, 1111 Burnaby Street, Vancouver V6E 1P4. 50 chambres, TV, téléphone, buanderie. Tél.: 684-8763.

Century Plaza Travelodge, 1015 Burrard Street, Vancouver V62 1Y5. 250 chambres, TV, téléphone, cuisinette, salle à manger, piscine, sauna. Tél.: 687-0575.

Doric-Howe Flag Inn, 1060 Howe Street, Vancouver V6Z 1P5. 100 chambres, TV, téléphone, piscine, salle à manger, bar. Tél.: 682-3171.

Four Seasons, 791 Georgia West, Vancouver V6C 2T4. 430 chambres, TV, téléphone, restaurant, piscine, sauna, bain tourbillon. Tél.: 689-9333.

Holiday Inn-Harbour Side, 1133 Hastings Avenue, Vancouver V6E 3T3. 450 chambres, TV, téléphone, radio, restaurant, bar, piscine, sauna, salle à manger. Tél.: 689-9211.

Hotel Georgia, 801 Georgia West, Vancouver V6C 1P7. 315 chambres, TV, téléphone, restaurant, bar. Tél.: 682-5566.

Hotel Grovenor, 840 Howe Street, Vancouver V6Z 1N6. 128 chambres, TV, téléphone, radio, salle à manger. Tél.: 681-0141.

Hotel Palissades, 1277 Robson Street, Vancouver V6E 1C4. 150 chambres, TV, téléphone, piscine, sauna, buanderie, salle à manger. Tél.: 688-0461.

Hotel Vancouver, 900 Georgia Street West, Vancouver V6C 1P9. 562 chambres, TV, téléphone, restaurant, salle de danse. Hôtel du CN administré par la chaîne Hilton. Tél.: 684-3131.

Hyatt Regency, 655 Burrard Street, Vancouver V6C 2R7. 653 chambres, TV, téléphone, restaurant, bar, piscine, sauna. Tél: 687-6543.

Miramar Hotel, 1160 Davie Street, Vancouver. V6E 1N1. 192 chambres, TV, téléphone, piscine, sauna, salle à manger, bar. Tél.: 685-1311.

O'doul's Best Western, 1300 Robson Street, Vancouver V6E 1C5. 60 chambres, TV, téléphone, restaurant. 684-8451.

Quality Inn Chateau Granville, 1100 Granville Street, Vancouver V6Z 2B6. 108 chambres, TV, téléphone, restaurant, bar. Tél.: 669-7070.

Sandman Inn, 1110 Howe Street, Vancouver V6Z 1R2. 211 chambres, TV, téléphone, piscine, restaurant, bar. Tél.: 684-2151.

Sheraton Landmark Hotel, 1400 Robson Street, Vancouver V6G 1B9. 360 chambres, TV, téléphone, sauna, bain de vapeur, casse-croûte, salle à manger, restaurant. Tél.: 687-0511.

The Bayshore Inn, 1601 Georgia Street, Vancouver V6G 2V4. 520 chambres, TV, téléphone, piscine, sauna, bain tourbillon, restaurant, bar, marina. Tél.: 682-3377.

The Inn at Denman Place, 1733 Comox, Vancouver V6J 1P6. 280 chambres, TV, téléphone, piscine, sauna, bain tourbillon, restaurant-bar, salle à manger, buanderie. Tél.: 688-7711.

Camping (région de Vancouver)

Buena Motel (14 chambres, 38 emplacements pour remorques): 4575 Kingsway, Burnaby V5H 2B3. Tél.: 434-4545.

Capilano Trailer Park (70 emplacements pour tentes, 137 emplacements pour remorques): 295 Tomahawk Avenue, Vancouver-Nord V7P 1C5. Buanderie. Pas de réservations de juin à août. Tél.: 987-4722.

Hiawatha Tourist Park (55 emplacements pour tentes, 55 emplacements pour remorques): 16565 Beach Road, White Rock V4B 4Z7. Situé à 1,5 km au sud de White Rock, à 40 km du centre-ville de Vancouver. Salles de bains, douches, poste de vidange, terrain de jeu, dépanneur, plage. Tél.: 536-6184.

Parklander Motor and Trailer Court (35 emplacements pour remorques, 10 emplacements pour tentes): 16311-8th Avenue, White Rock V4A 1A3. Ouvert toute l'année. Douches. Tél.: 531-3711.

Plaza Mobile and Tourist Park (24 emplacements pour remorques): 8266 King George VI Highway, 99A, Surrey V3W 5C2. Toilettes, douches, buanderie. Tél.: 594-9030.

Timberland Campsite (9 emplacements pour remorques, 9 emplacements pour tentes): 3418 King George Highway, 99A, Surrey V4A 5B5. Douche, buanderie, dépanneur. Tél.: 531-1033.

VERNON (route 97)

La ville la plus au nord de la vallée de l'Okanagan, Vernon (pop. 17546) est un centre de cultures fruitières et d'exploitations forestières. La région se prête bien aux sports estivals.

Points d'intérêt

Le musée de Vernon expose des archives, des objets indiens et des outils de pionniers. Au parc Polson, on peut voir une horloge florale composée de 3500 plantes. À 12 km au nord de Vernon, le ranch O'Keefe, un des premiers ranchs de la vallée de l'Okanagan et l'un des plus importants en Colombie-Britannique, a été classé comme lieu historique en 1967.

Hébergement

Coldstream Motor Hotel, 2905-31st Avenue, Vernon V1T 2G5, 31 chambres, TV, téléphone, salle à manger. Tél.: 545-0716.

Silver Star Motel, 3700-32nd Street, Vernon V1T 5N6. 20 chambres, TV, téléphone, cuisinette, sauna. Tél.: 545-0501.

Slumber Lodge, 3602-32nd Street, Vernon V1T 5N3. 42 chambres, TV, téléphone, piscine, sauna, restaurant. Tél.: 545-2195.

Tiki Village Motor Inn, 2408-34th Street, Vernon V1T 5W8. 30 chambres, TV, téléphone, piscine, sauna, restaurant. Tél.: 545-2268.

Vernon Sandman Inn, 4201-32nd Street, Vernon V1T 5P3. 72 chambres, TV, téléphone, piscine intérieure, sauna, restaurant. Tél.: 542-4325.

Camping

Dutch's Tent and Trailer Court (44 emplacements pour tentes, 46 emplacements pour remorques): 1540 Kalamalka Road, Vernon V1B 1Y9. Toilettes, douches. Tél.: 545-1023.

Lakeway Motel, Tenting & Trailer Court (7 chambres et 100 emplacements pour roulottes): 15401 Kalamalka Road, Vernon V1B 1Z3. Buanderie, douches. Tél.: 542-2060.

Sandy Beach Tent and Trailer Park (50 emplacements pour tentes): R.R. 4, Tronson Road, Vernon V1T 6L7. Toilettes. Tél.: 542-7980.

Adresse utile

Vernon & District Chamber of Commerce,
3700-33rd Street, Vernon,
British Columbia V1T 5T6.

VICTORIA

À l'origine, un simple poste de traite des fourrures de la Compagnie de la Baie d'Hudson, Victoria (pop. 220000) a connu un essor rapide lors de la ruée vers l'or de 1858. Devenue la capitale de la Colombie-Britannique, c'est une ville administrative où l'influence anglaise est toujours présente.

La traversée, de Tsawwassen, près de Vancouver, pour atteindre Victoria dure environ une heure et demie. Le bateau se faufile entre les nombreuses îles du détroit de Georgie, offrant un magnifique décor. Une fois rendu sur l'île, vous avez encore une vingtaine de minutes à parcourir avant d'atteindre Victoria, la ville des jardins. Un climat clément, de magnifiques jardins et l'immense variété de fleurs qui y

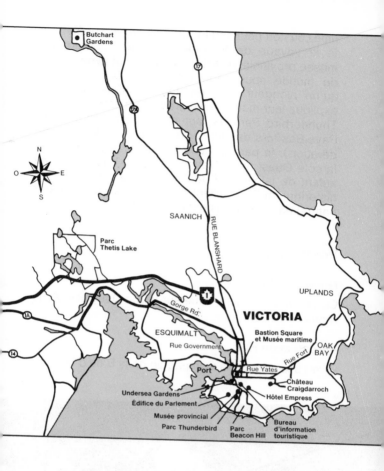

poussent font de Victoria l'une des plus charmantes villes du Canada.

Ville idéale pour flâner tant ses alentours sont magnifiques, Victoria offre aussi au visiteur amateur de la nature un coin unique en son genre, les jardins Butchart, où roseraie anglaise, jardins italien et japonais disputent l'attention du visiteur.

Le soir, les jardins Butchart sont illuminés, de même que la fontaine Ross. Les jardins sont au nombre de quatre: le Sunken Garden (ou la vieille carrière de ciment), le jardin de roses (où jadis on célébrait des mariages), le jardin japonais et le jardin italien.

Dans le centre-ville, près du port, vous pouvez visiter le Musée des voitures antiques, le Musée maritime (où l'on peut admirer le *Tilikum*, une goélette qui fit le voyage de Victoria jusqu'en Angleterre), le musée provincial d'Histoire naturelle et avoir une vue du monde sous-marin (Undersea Gardens) alors qu'un plongeur, tout en nourrissant les poissons, explique leur mode de vie grâce à un enregistrement. Thunderbird Park, la tour du Carillon (cadeau des Pays-Bas lors des fêtes du Centenaire de la Confédération), le parc Beacon Hill, le Mile 0 (début sur la côte Ouest de la Transcanadienne), le Parlement, autant de jalons qu'il faut visiter, tant pour l'intérêt historique qu'ils éveillent en nous que pour le cadre naturel dans lequel ils ont été construits.

Points d'intérêt

Hôtel de ville
Ce vieil hôtel de ville, situé sur la rue Douglass, a été rénové en 1962.

Parc Beacon Hill
Offert à la ville par la Compagnie de la Baie d'Hudson

Le Parlement de la Colombie-Britannique à Victoria.

en 1882, ce parc a une superficie de 61 ha. On peut y faire des pique-niques. On peut aussi y voir une statue du poète écossais Robert Burns, une cloche chinoise fondue en 1640 et un mât totémique de 38 m.

Parc Thunderbird

Ce parc renferme une collection de mâts totémiques illustrant les cultes des différentes tribus indiennes de la côte du Pacifique.

Musée provincial

Très beau musée relatant l'histoire de la Colombie-Britannique. L'édifice actuel date de 1968.

Tour du Carillon

Don de la communauté hollandaise à l'occasion du Centenaire, la tour renferme 49 cloches.

Le Parlement

Une statue de George Vancouver couronne le dôme (recouvert d'une couche d'or) du Parlement construit en 1897. Le soir, les édifices sont illuminés par plus de 3 000 ampoules.

Hôtel Empress

Dessiné par Francis Rattenbury, le même architecte qui traça les plans du parlement, l'hôtel Empress fut construit par le Canadien Pacifique en 1908. L'hôtel actuel, rénové, date de 1929.

Château Craigdarroch

Ce château, aujourd'hui classé édifice historique, avait été promis par Robert Dunsmuir à sa femme si elle acceptait de l'accompagner et de s'établir en Colombie-Britannique. Robert Dunsmuir fit fortune dans les mines de charbon. En 1880, il fit construire le château qui fut terminé en 1890, un an après sa mort. Son fils James fut Premier ministre de la province de 1900 à 1902, puis lieutenant-gouverneur. Pendant la Première Guerre mondiale, le château servit de maison de convalescence pour les soldats. En 1920, il abrita le Collège Victoria, affilié à l'Université de Colombie-Britannique. Depuis 1968, le château vibre aux accords du Conservatoire de musique.

Uplands

Au début du siècle, une compagnie française acheta la ferme Uplands au coût de $8 millions pour en faire un quartier résidentiel, mais elle fit faillite. La ville d'Oak Bay racheta la ferme et poursuivit l'entreprise, mais exigea des constructeurs que tous les fils électriques ou de téléphone soient souterrains, que chaque lot ait une grandeur minimale et qu'aucune maison ne soit identique. Autant de restrictions qui ont fait de Uplands le quartier résidentiel huppé d'Oak Bay.

Jardins Butchart

Sans doute le lieu touristique le plus populaire à Victoria, les jardins Butchart couvrent une superficie de 10 ha. C'est Mme Butchart qui eut l'idée un jour d'aménager cette ancienne carrière en jardin. Au fil des ans, on ajouta différentes variétés d'arbres et de plantes et l'on aménagea quatre nouvelles sections de jardin : le Sunken Garden (ou l'ancienne carrière), le jardin japonais, le jardin de roses et le jardin italien. Le soir, les sentiers sont illuminés, de même que la fontaine Ross. De plus, un spectacle de variétés est présenté tous les soirs sauf le samedi. On y présente un feu d'artifice et un spectacle « son et lumière ».

Activités

Golf : comme la température est clémente à Victoria, le golf est un sport populaire toute l'année. Il y a neuf terrains de golf pour satisfaire les amateurs de ce sport.

Hébergement

Admiral Hotel, 257 Belleville Street, Victoria V8V 1X1. 29 chambres, TV, téléphone. Tél. : 388-6267.

Canterbury Flag Inn, 310 Gorge East, Victoria V8T

A Victoria, l'influence anglaise est omniprésente.

2W2. 80 chambres, TV, téléphone, buanderie, piscine, restaurant, bar. Tél.: 382-2151.

Chateau Victoria, 740 Burdett Avenue, Victoria V8W 1B2. 180 chambres, TV, téléphone, salle à manger, cuisinette. Tél.: 382-4221.

Coachman Flag Inn, 229 Gorge East, Victoria V9A 1C1. 75 chambres, TV, téléphone, piscine, buanderie, restaurant, sauna. Tél.: 388-6611.

Colony Motor Inn, 2852 Douglass Street, Victoria V8T 4M5. 93 chambres, TV, téléphone, piscine, bain tourbillon, restaurant. Tél.: 385-2441.

Harbour Towers, 345 Québec Street, Victoria V8V 1W4. 165 chambres, TV, téléphone, piscine, sauna, salle à manger. Tél.: 385-2405.

Hotel Empress, 721 Government Street, Victoria V8W 1W5. 416 chambres, TV, téléphone, salle à manger. Plan familial. Tél.: 384-8111.

Imperial Inn, 1961 Douglass Street, Victoria V8T 4K7. 78 chambres, TV, téléphone, piscine, salle à manger, bar. Tél.: 382-2111.

James Bay Inn, 270 Government, Victoria V8V 2L2. 54 chambres, TV, téléphone, salle à manger. Tél.: 384-7151.

Paul's Motor Inn, 1900 Douglass Street, Victoria V8T 4K8. 80 chambres, TV, téléphone, salle à manger, restaurant. Tél.: 382-9231.

Queen Victoria Inn, 655 Douglass Street, Victoria V8V 2P9. 90 chambres, TV, téléphone, radio, piscine, sauna. Tél.: 386-1312.

Sportman's Motor Inn, 1850 Douglass Street, Victoria V8T 4K6. 70 chambres, TV, téléphone, sauna. Tél.: 388-4471.

The Intown Inn, 2898 Douglass Street, Victoria V8T 4M9. 34 chambres, TV, téléphone. Tél.: 388-6667.

The Travellers Inn, 710 Queens Avenue, Victoria V8T 1M3. 33 chambres, TV, téléphone, radio. Tél.: 388-6641.

Camping

Fort Victoria Trailer Park (100 emplacements pour tentes, 50 emplacements pour remorques): 340 Island, route 1A, Victoria V9B 1H1. Douches, buanderie, poste de vidange, terrain de jeu. Tél.: 479-8122.

Ray's Lakeside Trailer Court (30 emplacements pour tentes, 14 emplacements pour remorques): 1261 Goldstream Avenue, route 1A, Victoria V9B 2Y9. Douches, pêche, baignade, toilettes. Tél.: 478-1509.

Thetis Lake Campground (84 emplacements pour tentes, 22 emplacements pour remorques): 1938, route Transcanadienne, R.R. 6, Victoria V8X 3X2. Douches, buanderie, dépanneur. Tél.: 478-3845.

WESTBANK (route 97)

Aujourd'hui région de villégiature, Westbank fut au siècle dernier une route pour les coureurs de bois de la Compagnie du Nord-Ouest, puis pour ceux de la Compagnie de la Baie d'Hudson. Son économie repose sur l'industrie fruitière et le tourisme.

Hébergement

Lakeshore Villa Resort, Scottish Cove, R.R. 3, Gellatly Road, Westbank V0H 2A0. 26 chambres, piscine intérieure, plage privée, terrain de jeu. Tél.: 768-5634.

Camping

Billabong Beach Resort (20 emplacements pour tentes, 42 emplacements pour remorques): R.R. 1, Boucherie Road, Westbank V0H 2A0. Douches, plage, poste de vidange, buanderie, glace. Tél.: 768-5913.

Green Bay Resort (10 chambres, 35 emplacements pour tentes, 41 emplacements pour remorques): R.R. 1, Westbank V0H 2A0. Cabines, toilettes à chasse d'eau, douches, dépanneur, plage. Tél.: 768-5543.

Paradise Park Beach Resort (15 emplacements pour tentes, 68 emplacements pour remorques): Box 77, R.R. 1, Boucherie Road, Westbank V0H 2A0. Douches, dépanneur, buanderie, terrain de jeu. Tél.: 768-5459.

Rest Acres Beach Resort (36 emplacements pour tentes, 69 emplacements pour remorques): R.R. 1, Boucherie Road, Westbank V0H 2A0. Toilettes, douches, buanderie, poste de vidange, dépanneur, terrain de jeu, glace, baignade. Tél.: 768-5013.

WILLIAMS LAKE

Situé au coeur des monts Caribou, Williams Lake (pop. 6199) a été surnommé la « capitale des cowboys » de la Colombie-Britannique. La région est le principal centre d'élevage de la province (plus de 500 fermes d'élevage). Chaque année, en juillet, le stampede de Williams Lake attire de nombreux amateurs de rodéo.

Activités et points d'intérêt

La région est populaire pour la pêche, la chasse et les sports d'hiver. On peut y visiter le Musée historique, le musée d'Histoire de la faune et une mine d'or ancienne, la Bullion Gold Mine.

Hébergement

Overlander Motor Inn, 1118 Lakeview Crescent, Williams Lake V2G 1A3. Sur la route 97. 60 chambres, TV, téléphone, danse, cocktail-lounge, casse-croûte. Tél.: 392-3321.

Slumber Lodge, 27, Seven Avenue South, Williams Lake V2G 1L2. 58 chambres, TV, téléphone, piscine intérieure, sauna, salle de jeu, restaurant. Tél.: 392-7116.

Williams Lake Travelodge, 55, Sixth Avenue South, Williams Lake, V2G 1K8. 58 chambres. TV, casse-croûte, salle à manger, sauna, buanderie. Tél.: 392-7747.

Camping

Springhouse Trails Ranch (16 chambres, 20 emplacements pour tentes, 14 emplacements pour remorques): Box 4564, Williams Lake V2G 2V6. 20 km au sud-ouest de Williams Lake. Douches, toilettes, buanderie, piscine, sauna, casse-croûte, salle à manger. Tél.: 392-4780.

Wildwood Campsite (10 emplacements pour tentes, 25 emplacements pour remorques): R.R. 2, Williams

Lake V2G 2P2. 13 km au nord de Williams Lake.
Toilettes, douches, buanderie. Tél.: 989-4711.

YALE (Transcanadienne)

SItuée à 30 km au nord de Hope, la petite ville de
Yale, fondée en 1848, doit son essor à deux facteurs,
l'un historique, l'autre géographique. Yale, en effet,
fut d'abord un poste de traite jusqu'en 1858, année
de la découverte de l'or le long du Fraser. Puis, en
1873, Yale devenait le point de départ de la route du
Caribou et, enfin, joua un grand rôle dans la construction du chemin de fer, à l'entrée du canyon du
Fraser.

Points d'intérêt

Plusieurs points d'intérêt marquent la route qui, au-
delà de Yale, longe le Fraser. Mentionnons Jackass
Mountain, Hell's Gate, de nombreux tunnels, etc.
Yale abrite également la plus vieille église de la
Colombie-Britannique: St. John the Divine.

Hébergement

Fort Yale Motel, Box 63, Yale V0K 2S0. 12 chambres. Tél.: 863-2216.

Camping

Voir Hope.

Terrains de camping provinciaux

Voici une liste sommaire (45 seulement) des terrains
de camping en Colombie-Britannique (il y en a plus
de 130 à travers la province). Pour avoir accès à
ceux-ci, les remorques ne doivent pas dépasser 32 m
en longueur. Le camping n'est pas permis sur les terrains de pique-nique.

Alice Park Lake (95 emplacements, 88 tables de

pique-nique): situé à 12 km au nord de Squamish, près de Brackendale. Poste de vidange.

Allison Lake Park (24 emplacements, 10 tables de pique-nique): situé à 34 km au nord de Princeton sur la route 5.

Bamberton Park (50 emplacements, 40 tables de pique-nique): situé à 5 km au sud de Mill Bay (Saanich Inlet), 32 km au nord de Victoria, sur la route 1.

Barkerville Historic Park situé à l'est de Quesnel. Il y a trois terrains de camping: Lowhee (80 emplacements), Government Hill (23 emplacements) et Forest Rose (60 emplacements). Poste de vidange et tables de pique-nique.

Beaumont Park (49 emplacements, 19 tables de pique-nique): situé sur la route 16, 130 km à l'ouest de Prince George. Poste de vidange.

Bowron Lake Park (25 emplacements): situé à l'est de Barkerville. Pêche, piste en forêt.

Canim Beach Park (14 emplacements): situé à 43 km au nord de 100 Mile House; suivre la route pavée sur une distance de 35 km.

Chilliwack Lake Park (100 emplacements): situé au lac Chilliwack, à 41 km à l'est de Chilliwack.

Cultus Lake Park (296 emplacements, 177 tables de pique-nique): 11 km au sud-ouest de Chilliwack. Baignade, poste de vidange.

Dry Gulch Park (25 emplacements): situé près du parc national de Kootenay, 8 km au sud de la jonction de Radium. Toilettes à chasse d'eau.

Elk Falls Park (121 emplacements le long de la rivière Quinsam): 10 km au nord-ouest de Campbell River. Poste de vidange.

Ellison Park (54 emplacements, 53 tables de pique-nique): situé à 16 km au sud-ouest de Vernon. Toilettes à chasse d'eau, baignade.

French Beach Park (70 emplacements): situé sur la route 14, à 57 km à l'ouest de Victoria. Plage.

Golden Ears Park (2 terrains de camping, 344 emplacements, 185 tables de pique-nique): situé à 11 km au nord de Haney (ouest de Vancouver). Poste de vidange.

Goldpan Park (14 emplacements): situé à 10 km au sud de Spences Bridge.

Goldstream Park (150 emplacements, 44 tables de pique-nique): situé à 20 km au nord-ouest de Victoria, sur la route Transcanadienne. Poste de vidange.

Green Lake Recreation Area (3 terrains de camping, 165 emplacements): situé à l'est de 70 Mile House.

Haynes Point Park (36 emplacements, plage, baignade, 9 tables de pique-nique): situé à 2 km au sud d'Osoyoos, sur la route 97. Toilettes à chasse d'eau.

Herald Park (51 emplacements): près de Salmon Arm, 13 km au nord-est de Tappen. Sentiers en forêt, baignade. (Apportez de l'eau potable.)

Horsefly Lake Park (12 emplacements, 14 tables de pique-nique): situé à 68 km à l'est de 150 Mile House via Miocene et Horsefly. Pêche, baignade.

Jimsmith Lake Park (28 emplacements, tables de pique-nique): situé au sud de Cranbrook.

Kilby Museum Historic Parc (42 emplacements): situé à 1,5 km à l'est de Harrison Mills, sur la route 7.

Kokanee Creek Park (2 terrains de camping, 112 emplacements, 36 tables de pique-nique): situé sur le côté ouest du Lac Kootenay, sur la route 3A. Poste de vidange, toilettes à chasse d'eau.

Lac La Hache Park (83 emplacements, 37 tables de pique-nique): situé sur la route 97, 13 km au nord de Lac-La-Hache. Poste de vidange.

Lakelse Lake Park (155 emplacements, 45 tables de pique-nique): situé sur la route 25, 26 km au sud-ouest de Terrace.

Manning Park (4 terrains de camping /Coldspring, Lightning Lake, Mule Deer et Hampton/, 340 emplacements): situé sur la route 3, 250 km à l'est de Vancouver. Poste de vidange près de Manning Park Lodge. Sentiers en forêt, ski alpin en hiver.

Mount Fernie Park (38 emplacements, 10 tables de

pique-nique): situé à 3 km à l'ouest de Fernie, près de la route 3. Toilettes à chasse d'eau, pêche.

Mount Robson Park (3 terrains de camping /Lucerne Lake Campground, situé près de la frontière de l'Alberta; Robson River Campground, situé à l'est de la junction des routes 5 et 16, et Robson Meadow Campground/ 178 emplacements): sentiers en forêt.

Mt. Seymour Park (100 emplacements pour remorques): situé à 24 km au nord de Vancouver en empruntant Second Narrows Bridge. Ski de fond, ski alpin, raquette, cafétéria, sentiers en forêt.

Moyie Lake Park (104 emplacements): situé à 20 km au sud de Cranbrook. Pêche, poste de vidange.

Nicolum River Park (9 emplacements, 6 tables de pique-nique): situé à 6,5 km à l'est de Hope.

North Thompson River Park (61 emplacements, 16 tables de pique-nique): situé près de Clearwater. Poste de vidange.

Okanagan Lake Park (156 emplacements, 38 tables de pique-nique): situé à 24 km au nord de Penticton, sur la route 97. Toilettes à chasse d'eau, poste de vidange, baignade, pêche.

Otter Lake Park (45 emplacements): situé à 24 km à l'ouest de Princeton et 5 km au nord de Tulameen. Baignade.

Paul Lake Park (111 emplacements, 58 tables de pique-nique): situé à 23 km au nord-est de Kamloops, sur la route 5. Baignade, pêche, poste de vidange sur la rive nord.

Porteau Cove Park (60 emplacements): situé sur la route 99, à 30 km au nord de Vancouver. Pêche, baignade, poste de vidange.

Prudhomme Lake Park (18 emplacements): situé à 16 km à l'est de Prince-Rupert, sur la route 16, au lac Prudhomme.

Purden Lake Park (78 emplacements, 48 tables de pique-nique): situé à 65 km à l'est de Prince George. Poste de vidange, baignade, pêche.

Sasquatch Park (3 terrains de camping, 165 emplacements, 60 tables de pique-nique): situé au lac Harrison, 7 km au nord de Harrison Hot Spring.

Skagit Valley Recreation Area (45 emplacements): situé à 3 km à l'ouest de Hope, puis à 45 km au sud sur une route secondaire. Sentiers en forêt, pêche. (Apportez de l'eau potable.)

Smelt Bay Park (25 emplacements): situé sur l'île de Cortes, 16 km au sud de Whaletown. On y accède par Campbell River en passant par Quadra Island.

Spahats Creek Park (20 emplacements): situé à 16 km au nord de Clearwater en empruntant la route menant au parc provincial de Wells Gray.

Strathcona Park (2 terrains de camping /Buttle Lake et Ralph River/, 161 emplacements): situé à l'ouest de Campbell River, à l'extrémité nord du lac Buttle.

Ten Mile Lake Park (142 emplacements, 75 tables de pique-nique): situé à 11 km au nord de Quesnel, sur la route 97. Baignade, poste de vidange.

L'un des magnifiques specimens de truites qui abondent dans les lacs et rivières de l'Ouest canadien.

Wasa Lake Park (104 emplacements, 80 tables de pique-nique): situé à 21 km au nord de Fort Steele. Poste de vidange.

Yard Creek Park (90 emplacements, 12 tables de pique-nique): situé sur la route 1, 60 km à l'ouest de Revelstoke. Poste de vidange.

ANNEXE I

Parcs nationaux de l'Alberta et de la Colombie-Britannique

Les parcs nationaux

Les parcs nationaux sont les fleurons touristiques de l'Ouest canadien. Pour y avoir droit d'accès, il faut un permis qu'on peut se procurer à l'entrée de chaque parc. Il est à noter que le permis d'un parc est valable pour tous les autres parcs nationaux. Ce permis ne vous donne droit qu'à l'entrée du parc. Il ne comprend pas les frais de camping, du permis de pêche et de certains autres services offerts. Les règlements de bonne conduite sont très sévères dans les parcs et quiconque les enfreint est passible d'une forte amende. Il est, par exemple, strictement défendu de nourrir les ours et de chasser dans les parcs nationaux. Par contre, la pêche est permise, mais un permis, qu'on peut se procurer dans les centres d'information ou d'administration du parc, est nécessaire. Le prix de ce genre de permis est modeste. Il est à remarquer que dans le parc national de Banff, les embarcations à moteur ne sont permises que sur le lac Minnewanka. Informez-vous pour les autres parcs nationaux.

Les terrains de camping sont bien organisés. Ici encore les prix sont très raisonnables. Il faut se souvenir que la bienséance est de rigueur et chacun est tenu de laisser son emplacement propre après son départ. Il est permis de faire du camping sous la tente ou en véhicule de tourisme; le camping sauvage, le camping collectif et même le camping d'hiver sont aussi autorisés.

Les parcs sont ouverts toute l'année, mais certains services ordinairement dispensés en été ne le sont pas en hiver.

Outre le camping et la pêche, les autres activités permises sont le canotage, la marche en forêt, l'équitation, l'alpinisme, la baignade dans certaines sources d'eaux sulfureuses, l'ascension de diverses montagnes par téléphérique, le pique-nique, le golf (à Banff ou Jasper), le ski.

Pour d'autres renseignements supplémentaires, adressez-vous à Parcs Canada, à Ottawa.

LISTE DES PARCS NATIONAUX

Colombie-Britannique	Alberta
Pacific Rim	Waterton Lakes
Mont Revelstoke	Banff
Glacier	Jasper
Yoho	Elk Islang
Kootenay	Wood-Buffalo (Alberta et Territoires du Nord-Ouest)

Camping dans les parcs nationaux

Parc national Banff

Information: Directeur, Parc national Banff, Box 900, Banff, Alberta T0L 0C0.

Canyon Johnston (140 emplacements), tentes et caravanes: 26 km à l'ouest de Banff sur la route 1A. Ouvert du 20 juin à septembre. Eau, toilettes à chasse d'eau, foyers, bois.

Lac Louise (100 emplacements, camping d'hiver): 5 km à l'est du lac Louise, sur la route Transcanadienne. Ouvert de novembre à avril. Toilettes sèches.

Lac Louise (400 emplacements, tentes et caravanes): à proximité de la route 1A, près de la confluence du ruisseau Louise et de la rivière Bow. Ouvert du 20 juin à septembre. Eau, toilettes à chasse d'eau, foyers, bois.

Lac Waterfowl (116 emplacements, tentes et caravanes): kilomètre 57. Ouvert de mai à la mi-septembre. Eau, toilettes à chasse d'eau, poste de vidange, foyers, bois.

Mont Cirrus (16 emplacements, tentes et caravanes): ouvert du 20 juin à septembre. Eau, toilettes sèches, foyers, bois.

Mont Eisenhower (44 emplacements, tentes et caravanes): route 1A, 1 km à l'est d'Eisenhower Junction. Ouvert du 20 juin à septembre. Eau, toilettes à chasse d'eau, foyers, bois.

Mont Protection (89 emplacements, tentes et caravanes): route 1A, 11 km à l'ouest d'Eisenhower Junction. Ouvert de la mi-juin à septembre. Eau, toilettes à chasse d'eau, foyers.

Mont Tunnel (200 emplacements, camping d'hiver): ouvert d'octobre à mai, 200 raccordements d'électricité, eau, toilettes à chasse d'eau, douches.

Mont Tunnel (322 emplacements): 2,5 km de Banff. Ouvert de mai à la fin de septembre. 322 raccordements d'électricité, égouts, eau, toilettes à chasse d'eau, douches, poste de vidange.

Mont Tunnel (246 emplacements, tentes et caravanes): ouvert du 1er juillet à la fin d'août. Eau, toilettes à chasse d'eau, douches, foyers, bois.

Ruisseau Mosquito (20 emplacements, camping d'hiver): ouvert de septembre au 19 juin. Eau, toilettes sèches, bois.

Ruisseau Rampart (50 emplacements, tentes et caravanes): kilomètre 88, ouvert de la mi-juin à septembre. Eau, toilettes sèches, poste de vidange, foyers, bois.

Two Jack Lakesite (80 emplacements, tentes et caravanes): 1 km au sud du terrain de camping Two Jack Main. Ouvert de la fin de juin à septembre. Eau, toilettes à chasse d'eau, foyers, bois.

Two Jack Main (381 emplacements, tentes et caravanes): 13 km au nord-est de Banff. Ouvert de la mi-juin à septembre.

Village Mont Tunnel (622 emplacements, tentes et caravanes): 3 km de Banff. Ouvert de mai à la fin de septembre. Eau, toilettes à chasse d'eau, poste de vidange, foyers, bois.

Parc national Elk Island

Lac Oster (100 emplacements, camping collectif): eau, toilettes à chasse d'eau, toilettes sèches, barbecues, foyers, bois. Ouvert toute l'année. À 13 km du bureau du parc sur la rive est du lac Oster.

Plage Sand (123 emplacements pour tentes et remorques): près du lac Astotin. Eau, toilettes à chasse d'eau, poste de vidange, foyers, bois. Ouvert de la mi-mai à la fête du Travail.

Parc national Glacier

Information: Directeur, Parc national Glacier, Box 350, Revelstoke, British Columbia V0E 2S0.

Illecillewaet (59 emplacements, tentes et caravanes): 4 km à l'ouest du col Rogers. Ouvert du 1er juillet à la mi-septembre. Eau, toilettes à chasse d'eau, bois.

Illecillewaet (12 emplacements, camping d'hiver): ouvert du 16 septembre au 30 juin. Toilettes sèches, bois.

Ruisseau Loop (20 emplacements, tentes et caravanes): 7 km à l'ouest du col Rogers. Ouvert du 1er juillet à la mi-septembre. Eau, toilettes à chasse d'eau, bois.

Ruisseau Mountain (306 emplacements, tentes et caravanes): 20 km à l'est du col Rogers. Ouvert de la mi-juin à la mi-septembre. Eau, toilettes à chasse d'eau, poste de vidange, bois.

Parc national Jasper

Information: Directeur, Parc national Jasper, Box 10, Jasper, Alberta T0E 1E0.

Champ de glace Columbia (26 emplacements, camping sauvage): kilomètre 109 sud. Ouvert toute l'année. Eau, toilettes sèches, foyers.

Lac Celestine (24 emplacements, camping sauvage): sur la route 16 nord jusqu'au carrefour, 35 km sur la route Celestine. Ouvert de la fin mai à la fin d'octobre. Eau, toilettes sèches, foyers.

Lac Honeymoon (30 emplacements, tentes et caravanes): 52 km au sud de Jasper. Ouvert de mai à septembre. Eau, toilettes sèches, foyers.

Miette Hot Springs (100 emplacements, tentes): 43 km sur la route 16 nord, jusqu'au carrefour, 18 km sur la route Miette. Ouvert de mai à septembre. Eau, toilettes à chasse d'eau.

Mont Kerkeslin (20 emplacements, camping sauvage): kilomètre 36. Ouvert de la mi-mai à septembre. Eau, toilettes sèches, foyers.

Pré Marmot (100 emplacements, camping collectif): 4 km au sud de Jasper. Ouvert toute l'année. Eau, toilettes à chasse d'eau, barbecues.

Rivière Snaring (60 emplacements, camping sauvage): kilomètre 11, sur la route 16 nord. Ouvert de mai à septembre. Eau, toilettes sèches, foyers.

Ruisseau Jonas (25 emplacements, tentes et caravanes): kilomètre 77 sud. Ouvert de mai à la mi-septembre. Eau, toilettes sèches, foyers.

Ruisseau Ranger (25 emplacements, camping collectif): 47 km au sud de Jasper. Ouvert de la mi-mai à octobre. Eau, toilettes sèches, foyers.

Ruisseau Wilcox (46 emplacements, tentes et caravanes): kilomètre 111 sud. Ouvert de la mi-juin à septembre. Eau, toilettes sèches, poste de vidange, foyers.

Wabasso (126 emplacements, tentes et caravanes): kilomètre 16, sur la route 39A sud. Ouvert de mai à septembre. Eau, toilettes à chasse d'eau, foyers.

Wapiti (321 emplacements, tentes et caravanes): kilomètre 3 sud. Ouvert de mai à septembre. Eau, toilettes à chasse d'eau, poste de vidange, foyers.

Whirlpool (25 emplacements, camping collectif): 24 km au sud de Jasper, sur la route 93A. Ouvert de mai à septembre. Eau, toilettes sèches, barbecues, foyers.

Whistlers (758 emplacements, tentes et caravanes): kilomètre 3 sud. Ouvert de mai à septembre. 77 raccordements pour l'électricité, égouts, eau, toilettes à chasse d'eau, poste de vidange, foyers.

Parc national Kootenay

Canyon Marble (60 emplacements pour tentes et remorques): 86 km au nord des sources thermales Radium. Eau, toilettes sèches, toilettes, foyers, bois, poste de vidange. Ouvert du 23 juin au 5 septembre.

Pré McLeod (100 emplacements pour tentes et remorques): 26 km au nord des sources thermales Radium. Eau, toilettes à chasse d'eau, foyers, bois, poste de vidange, toilettes, douches. Ouvert du 23 juin au 5 septembre.

Redstreak (241 emplacements pour tentes et remorques): 5 km des sources thermales Radium. Eau, toilettes à chasse d'eau, douches, foyers, bois. Ouvert du 12 mai au 11 septembre.

Parc national Lacs-Waterton

Mont Crandell (129 emplacements pour tentes et remorques): kilomètre 8, sur la promenade Red Rock. Eau, toilettes à chasse d'eau, foyers, poste de vidange. Ouvert de la mi-mai à septembre.

Rivière Belly (24 emplacements): à 1 km de la promenade du Mont Chief. Eau, toilettes sèches, foyers. Ouvert de mai à la fin de septembre.

Snowshoe (12 emplacements, camping sauvage): à 8 km du canyon Red Rock. Eau, toilettes sèches. Ouvert toute l'année.

Townsite (240 emplacements pour tentes et caravanes ou remorques): eau, toilettes à chasse d'eau, douches, poste de vidange, lotissement urbain.

Parc national Mont Revelstoke
Aucun terrain de camping.

Parc national Pacific Rim

Information: Directeur, parc national Pacific Rim,
Box 280, Ucluelet,
British Columbia V0R 3A0.

Pointe Greene (92 emplacements, tentes et caravanes): 12 km au nord d'Ucluelet et à 4 km sur la route 4. (Mi-mai à mi-septembre.) Eau, toilettes à chasse d'eau, poste de vidange, foyers, bois.

Schooner (65 emplacements, camping sauvage): secteur nord de la plage Long. Ouvert toute l'année. Eau, toilettes à chasse d'eau.

Parc national Wood Buffalo

Lac Pine (30 emplacements pour tentes et remorques): 61 km au sud de Fort Smith. Ouvert de mai à octobre.

Pointe Kettle (50 emplacements, camping collectif): eau, toilettes sèches, foyers, bois. Ouvert de mai à l'Action de grâces.

Parc national Yoho

Information: Directeur Parc national Yoho,
Box 99, Field,
British Columbia V0A 1G0.

Cheval-qui-rue (92 emplacements, tentes et caravanes): 5 km à l'est de Field, sur la route de la vallée Yoho. Ouvert de juin à septembre. Eau, toilettes à chasse d'eau, douches, poste de vidange, foyer, bois, rampes et toilettes pour handicapés.

Chutes Takakkaw (35 emplacements, tentes): vallée Yoho. Ouvert de juin à septembre. Eau, toilettes sèches, foyers, bois.

Lac O'Hara (30 emplacements, tentes): 14 km à l'est de Field, à Hector Crossing, et 13 km en direction sud sur la route coupe-feu. Ouvert de juillet à septembre. Eau, toilettes sèches, foyers, bois.

Ottertail Flats (25 emplacements, tentes, camping collectif): 28 km de la limite est du parc. Ouvert de juin à octobre. Eau, toilettes sèches, barbecue, bois.

Pic Chancellor (64 emplacements, tentes et caravanes): 28 km à l'ouest de Field. Ouvert de juin à octobre. Eau, toilettes sèches, foyers, bois.

Ruisseau Finn (20 emplacements, camping d'hiver): 32 km de la limite est du parc. Ouvert de novembre à avril. Eau, toilettes sèches, barbecue, foyers, bois.

Ruisseau Hoodo (106 emplacements, tentes et caravanes): 23 km à l'ouest de Field. Ouvert de juin à septembre. Eau, toilettes à chasse d'eau, postes de vidange, foyers, bois.

Renseignements généraux

Tarifs: des frais d'entrée pour les véhicules automobiles sont perçus à la plupart des parcs nationaux. Les citoyens du troisième âge peuvent obtenir un permis annuel leur donnant le droit d'entrer gratuitement dans tous les parcs nationaux. Ils n'ont qu'à présenter leur permis de conduire et le certificat d'immatriculation de leur véhicule à l'entrée.

Véhicules motorisés: permis d'une journée: 1 $; permis de quatre jours consécutifs: 2 $; permis annuel valide à tous les parcs nationaux: 10 $. Ces permis permettent le libre accès à tous les parcs nationaux mais ne comprennent pas les frais de camping ou de tout autre service.

Tarifs de camping (quotidiens): emplacement non aménagé: 3 $; emplacement avec raccordement pour l'électricité: 5 $; emplacement avec raccordements pour l'eau, l'électricité et les égouts: 6 $; terrains de camping collectif: 0,25 $ par personne. Bien que les parcs nationaux soient ouverts toute l'année, la plupart des services et installations pour les visiteurs ne sont offerts qu'en été.

Séjour: dans la plupart des parcs nationaux, le séjour maximal est de deux semaines.

Réservations: d'ordinaire, les emplacements de terrains de camping sont accordés selon l'ordre d'arrivée des visiteurs, sauf aux terrains de camping collectif où les groupes doivent réserver en s'adressant au directeur du parc.

Chiens et chats: les chiens et les chats doivent être tenus en laisse en tout temps.

Pêche: un permis est nécessaire à l'intérieur des parcs; un tel permis coûte 4 $ et est valide à tous les parcs nationaux. On peut aussi l'obtenir au centre d'information ou d'administration, aux terrains de camping ou au pavillon des gardes. Un permis provincial ou territorial est nécessaire pour pêcher à l'extérieur des parcs.

Chasse interdite: la chasse est strictement interdite

dans tous les parcs nationaux. Il faut faire sceller toute arme à feu à l'entrée des parcs.

Les ours: il est strictement défendu de nourrir quelque animal que ce soit (et extrêmement dangereux de le faire pour les ours) dans les parcs nationaux. Une fois habitués aux aliments de l'homme, les ours, en effet, risquent d'attaquer les campeurs s'ils sont en quête de nourriture. Lorsque vous êtes dans une région fréquentée par les ours, gardez votre emplacement de camping propre et tenez toute nourriture éloignée de votre tente ou de votre véhicule. N'apportez JAMAIS de nourriture dans votre tente ou dans votre sac de couchage; placez-la dans le coffre de votre voiture. Il est tout à fait inutile d'enterrer les déchets, les ours étant d'excellents fouisseurs. Ne mettez pas par négligence des vies humaines en danger et faites en sorte qu'on ne soit pas obligé de tuer un ours à cause de vous. Sachez que vous êtes un intrus dans l'habitat des ours et pensez à ceux qui viendront après vous. Les visiteurs surpris à nourrir les ours sont passibles d'une amende d'au moins 500 $.

Cartes topographiques: si vous projetez de faire des excursions ou de camper dans les coins reculés des parcs nationaux, il est recommandé d'apporter une boussole et des cartes topographiques. Les usagers de ces dernières peuvent y lire des détails importants tels que les routes secondaires, les collines, les ruisseaux et les rivières. Pour obtenir gratuitement une liste des cartes topographiques des parcs nationaux, adressez-vous au: Bureau des cartes du Canada, 615, rue Booth, Ottawa, Ontario K1A 0E9.

ANNEXE II

Trajets pittoresques

Banff – Lac-Louise – Jasper

Après quelques jours de repos à Banff et peut-être un dernier arrêt aux bains sulfureux de Hot Springs, on peut se rendre à Jasper par la route qui y mène. Le trajet est l'un des plus intéressants, car de nombreux points d'intérêt le jalonnent.

Avant le lac Louise et à un peu moins de la moitié de la distance entre Banff et la jonction menant à Lac-Louise, le mont Eisenhower (alt. 2 766 m) est facilement reconnaissable. À la jonction menant à Lac-Louise, une route file vers le lac Moraine et la vallée des Dix-Pics. La route est escarpée, mais le décor en vaut la peine. Un promontoire à l'extrémité du lac offre une vue splendide.

La réputation du lac Louise (découvert en 1882) et du château Lac-Louise n'est plus à faire. Au bout du lac se trouve le glacier Victoria. Face au lac et au glacier, le prestigieux château Lac-Louise, un hôtel du Canadien Pacifique, domine le paysage. Plusieurs activités sont offertes à Lac-Louise : marche en forêt, équitation, canotage, camping, escalade d'une montagne en téléphérique.

En route pour Jasper, c'est un défilé de montagnes et de glaciers. Des points d'arrêt permettent d'admirer le panorama. A partir de la jonction de la Transcanadienne avec la route 93, les points d'intérêt sont indiqués sur les panneaux, entre parenthèses. Celui du lac Hector se trouve au kilomètre 16 et, 2 km plus loin, un sentier mène au lac Hector (kilomètre 18). Le glacier Crowfoot (kilomètre 33) doit son nom au fait qu'il ressemble à une patte de corneille. Bow Lake (kilomètre 34) précède le glacier Bow (kilomètre 37), source de la rivière Bow. Un sentier mène aux chutes Bow Glacier.

Bow Summit (kilomètre 40) est le point le plus élevé (2 070) m) de la route entre Banff et Jasper. C'est à cet endroit qu'il faut tourner pour aller admirer l'un des plus beaux lacs des Rocheuses: le lac Peyto. Des sentiers mènent à ce lac d'une couleur à peine descriptible. La couleur particulière de l'eau de ce lac provient du fait qu'à la fonte des glaces du glacier Peyto, l'eau entraîne avec elle des particules de roc fines comme de la farine. Une partie de ces particules, en suspension dans l'eau, reflète les bleus et les verts de la lumière.

Puis, tour à tour, c'est Snowbird Glacier (kilomètre 48), Waterfowl Lakes, les monts Chepren et Howse (kilomètre 56), le terrain de camping Waterfowl Lake (kilomètre 57), le centre d'information (kilomètre 76)

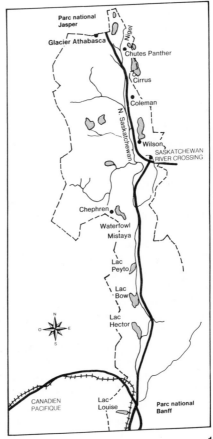

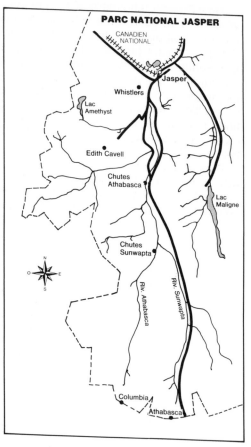

PARC NATIONAL JASPER

CANADIEN NATIONAL

Jasper

Whistlers

Lac Amethyst

Edith Cavell

Chutes Athabasca

Lac Maligne

Chutes Sunwapta

Riv. Athabasca

Riv. Sunwapta

Columbia

Athabasca

où l'on peut se procurer des permis de pêche. A 1 km plus loin, Saskatchewan River Crossing est le site idéal pour faire un arrêt. Du kilomètre 103 au kilomètre 113, c'est le mont Cirrus et la longue montée vers le point d'intérêt d'où l'on pourra admirer la rivière Saskatchewan du Nord et le mont Cirrus. Le Weeping Wall (kilomètre 105) est une série de cascades se précipitant du haut d'une énorme falaise. Plus loin, avant d'entreprendre l'abrupte côte, il est possible de faire un arrêt au Canyon Nigel Creek (kilomètre 110). Enfin, au kilomètre 122, c'est le col de Sunwapta et la limite entre les parcs nationaux de Banff et Jasper.

Dès l'entrée du parc de Jasper, deux terrains de camping: Wilcox Creek Campground et Columbia Icefield Campground. Enfin, c'est le champ de glace

Columbia (kilomètre 127). Le mont Columbia est le plus haut sommet de l'Alberta et le champ de glace le plus grand au sud du cercle polaire. On peut y faire une excursion en chenillette. Les langues glaciaires du glacier Athabasca avancent d'une cinquantaine de mètres l'hiver et reculent d'une soixantaine l'été, à la fonte des glaces. Une fois votre excursion faite, un arrêt s'impose au bureau touristique où un film vous fera mieux comprendre la formation des glaciers, ce qu'est une moraine latérale, une moraine terminale, une langue glaciaire, un névé, une rimaye. C'est dans le champ de glace Columbia que se trouve la ligne de partage des eaux, une crête qui détermine l'écoulement des eaux soit vers le Pacifique (par le Columbia) ou l'Arctique (par le Mackenzie) ou encore vers la baie d'Hudson (par la rivière Saskatchewan).

Dans la dernière section de ce trajet, on peut rencontrer des ours ou des chèvres des montagnes Rocheuses.

Une petite jonction mène aux chutes Sunwapta (kilomètre 175). Mountain Goat Mineral Lick (kilomètre 192) donne une excellente vue de la vallée de la rivière Athabasca.

À 32 km au sud de Jasper, ce sont les chutes Athabasca. La force de l'eau forme une gorge étroite. Déjà, Jasper n'est plus bien loin dès qu'on aperçoit le mont Edith Cavell (kilomètre 223) et surtout le mont Whistlers.

Jasper – Kamloops

Jasper est une très belle région pour se reposer, faire du camping, de la marche en forêt. Quelle que soit la durée de votre séjour à Jasper, il y a au moins deux endroits qui méritent d'être visités: Jasper Park Lodge et le canyon Maligne. Au premier endroit, il est amusant de voir les serveurs se promener de cabine en cabine à bicyclette pour servir le petit déjeuner. Jasper Park Lodge, un hôtel du Canadien National, a été construit en 1922 et est constitué de huit chalets de bois rond. Le premier pavillon principal datait de 1922-1923; en 1952, un feu le détruisit, mais il était reconstruit l'année suivante. C'est un hôtel de grand luxe. On peut y faire du golf, du tennis, de l'équitation, se baigner dans la piscine (si vous couchez

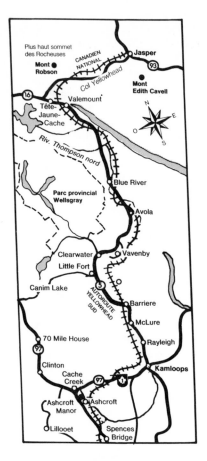

à l'hôtel) ou faire de la marche en forêt. Quant au canyon Maligne, vous serez ébahi par une telle force de la nature. Une telle vue vous donnera une envie irrésistible de voir des endroits de plus en plus grandioses.

En reprenant la route pour se rendre dans la province voisine, il faut franchir le col de Yellowhead (Tête-Jaune). Ce col doit son nom à un guide et trappeur indien, Pierre Hatsinaton, que l'on surnommait Tête jaune à cause de la couleur de ses cheveux.

C'est par ce col que passent Via Rail et la route de Yellowhead qui s'enfonce vers le sud-ouest jusqu'à Kamloops. Via Rail utilise aussi une voie passant plus au sud, dans la région de Banff et de Lac-Louise. Entre Jasper et Tête-Jaune-Cache, se dresse le mont

Robson dans le parc du même nom. Le parc provincial Mount Robson s'étend sur une superficie de 2 000 km² de montagnes enneigées, de canyons vertigineux et de lacs aux eaux glacées. Le mont Robson, qui a près de 4 000 m d'altitude, est le plus haut sommet des montagnes Rocheuses canadiennes.

Depuis 1981, à la suite du décès de Terry Fox, le courageux jeune homme qui fit tant pour combattre le cancer, le gouvernement de la Colombie-Britannique a nommé une montagne en son honneur. Elle est située à quelque 8 km à l'ouest du mont Robson. Un panneau sur le côté sud de la route en indique le chemin.

La chute Rearguard, à l'ouest du mont Terry Fox et sur le côté sud de la route, est l'endroit le plus à l'intérieur des terres où le saumon du Pacifique peut remonter pour frayer.

Il est possible de faire un arrêt à Blue River pour le dîner ou se baigner. S'il est trop tôt, Clearwater peut être votre prochain arrêt. Toute la région Blue River-Clearwater est une région d'activités forestières. À l'entrée de Clearwater, on emprunte la route à droite en direction du parc provincial Wells Gray. Il faut s'arrêter à Spahats Creek où une chute fait un bond de près de 70 m dans la Clearwater. La roche qu'on peut apercevoir dans le mur de la cuvette est d'origine volcanique. On peut également faire du camping à cet endroit. Si le temps vous le permet, rendez-vous à la chute Helmcken, qui plonge d'une hauteur de 135 m.

À une trentaine de kilomètres de Clearwater, à Little Fort, un traversier, qui n'avance que par la force du courant, fait la navette sur la Thompson du Nord. À l'approche de Kamloops, le décor de la végétation change. Nous entrons dans une région semi-désertique, appelée Dry Belt. Les espèces d'arbustes vert pâle qu'on aperçoit le long de la route sont une sorte de sauge sauvage et les majestueux arbres des forêts cèdent le terrain aux pins ponderosa, qui ne poussent que dans les régions semi-désertiques.

Kamloops signifie « rencontre des eaux ». C'est ici, en effet, que la rivière Thompson du Nord rencontre la Thompson du Sud. C'est également la rencontre des deux chemins de fer: le Canadien National qui venait de Jasper et le Canadien Pacifique qui passait par Banff et Calgary. Via Rail a réunifié ses services-voyageurs. Enfin, c'est ici qu'on rencontre à nouveau la Transcanadienne qu'on avait quittée près du lac Louise.

Kamloops — Vancouver

Outre le trajet Banff - Jasper, celui entre Kamloops et Vancouver est très pittoresque et jalonné de sites historiques. À la sortie de Kamloops, la rivière Thompson, née de la fusion des eaux de la rivière Thompson du Nord et de celles de la Thompson du Sud, s'élargit pour former le lac Kamloops. Kamloops porte donc bien son nom puisqu'il signifie en indien « rencontre des eaux ». À l'extrémité ouest du lac, un point de vue permet d'admirer un magnifique décor.

Après avoir traversé la rivière Thompson, nous entrons dans la vallée de Wallachin («pays de l'abondance»). Lorsqu'elle est bien irriguée, cette vallée est très fertile. À certains endroits, vous pouvez voir à votre droite de vieilles installations d'irrigation qui servaient à irriguer les vergers de la vallée. Mais, lors de la Première Guerre mondiale, les hommes allèrent au front. La vallée, ainsi désertée, retourna à son aspect premier, c'est-à-dire semi-désertique.

Arrivés à la jonction de la route transcanadienne et de la route 97, nous apercevons un des rares arrêts obligatoires de la Transcanadienne en dehors des villes, celui de Cache Creek. Selon certains, il y aurait encore aujourd'hui un trésor qui serait caché ici. La route 97, qui monte vers le nord, conduit à Barkerville, ancienne ville minière de la ruée vers l'or. Vous y trouverez des bijoux en jade. Cette pierre semi-précieuse est souvent travaillée en Orient puis revendue au Canada. Ici, par contre, ce sont des artisans locaux qui la travaillent. Vous pouvez acheter également de nombreux souvenirs: mocassins, cuivre, sculptures sur bois, pierre à savon et bijoux de toutes sortes.

Entre Cache Creek et Spences Bridge, au dire de plusieurs la région la plus chaude du Canada, vous pourrez visiter un ancien relais de diligences devenu maintenant le Manoir Ashcrost.

Arrivé à Spences Bridge, on peut remarquer les

Gastown et sa fameuse horloge à vapeur.

Il est bon de flâner tôt le matin sur les plages de Vancouver.

Le port de Victoria, centre touristique de la ville.

L'imposant canyon du fleuve Fraser.

Un des jardins de Butchart Gardens: Sunken Garden.

Si vous n'avez pas le vertige, traversez le pont Capilano à Vancouver-Nord.

restes d'un glissement de terrain survenu le 13 août 1905. La rivière Thompson vous accompagne toujours, comme le font les chemins de fer du Canadien Pacifique et du Canadien National. Le Canadien Pacifique étant le premier à avoir construit sa voie ferrée dans cette région, on la retrouve toujours du côté le moins accidenté de la rivière. Il en sera de même le long du Fraser. Quant à la Transcanadienne, on a dû à plusieurs endroits la construire à même la rivière en faisant des travaux de remplissage.

Rendu à Lytton, on quitte la rivière Thompson qui se jette dans le Fraser. Il est intéressant de remarquer la couleur des eaux des deux cours d'eau : les eaux du Fraser sont grises, tandis que celles de la rivière Thompson sont bleues. Ce contraste est frappant à Lytton. Un peu plus loin, on remarquera que les deux chemins de fer se croisent au-dessus du fleuve, le Canadien Pacifique et le CN se devant de changer de côté afin de poursuivre leur route.

Le Fraser doit son nom à Simon Fraser qui le descendit jusqu'à son embouchure. La force du courant entre Lytton et Hope s'accélère alors que le Fraser s'engouffre dans les portes de l'Enfer (Hells Gate). Pour admirer la beauté de ce paysage sauvage, il vous suffit de vous arrêter à l'un des nombreux belvédères qui bordent la route. Par exemple, le point le plus haut de la route transcanadienne dans le canyon du Fraser se trouve à Jackass Mountain, l'endroit où, paraît-il, une mule serait tombée avec tout son chargement à l'époque de la ruée de l'or. Cette région a été le cauchemar des ingénieurs du chemin de fer et de la route transcanadienne. À plusieurs endroits, il a fallu construire des tunnels. Un livre, intitulé *Wagon Road North,* raconte les péripéties des premiers voyageurs dans cette région de l'Ouest canadien, principalement lors de la ruée vers l'or et de l'époque du Dromedary Express. Un peu avant Boston Bar, à North Bend, un traversier aérien, le seul en Amérique du Nord, transporte les autos de l'autre côté du Fraser. Puis, ce sera Boston Bar, témoin de la ruée vers l'or.

Arrivé à Hells Gate, on peut voir les saumons franchir les échelles pour contourner les tourbillons et aller frayer au lac Shuswap ou à la rivière Adams. En 1914, afin de construire le chemin de fer, on a dû

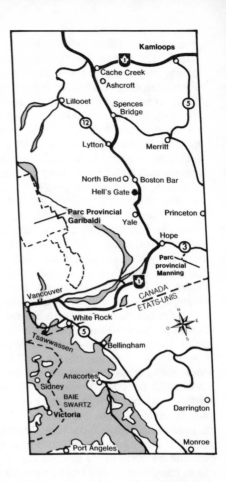

dynamiter le chenal et des blocs de pierre, par mauvais calcul, sont tombés dans cet étroit passage (30 m) du fleuve, réduisant à néant les tourbillons naturels du fleuve. Le dépliant de Hells Gate parle d'un éboulement, sans doute pour ménager la susceptibilité des ingénieurs. Le débit du fleuve étant très fort à cet endroit, les saumons passaient d'un tourbillon à l'autre pour s'y reposer. Avec la disparition des tourbillons, le saumon ne pouvait plus remonter le fleuve. La pêche du saumon sur la côte Ouest a alors diminué de 90%.

Ce n'est qu'en 1944 que les gouvernements canadien et américain décidèrent de faire construire des échelles, c'est-à-dire des chemins ou couloirs pour poissons, en ciment, afin que le saumon puisse aller frayer. Ces échelles ralentissent le courant, rendant possible le passage des saumons.

Pour se rendre de l'autre côté du Fraser, il faut prendre un téléphérique, mais il est également possible de s'y rendre à pied.

En reprenant la route juste avant le tunnel Ferabee, on peut voir des plaques de métal sur le flanc de la montagne. Lors de la construction de la Transcanadienne, les ingénieurs découvrirent une fissure dans le flanc de la montagne. Pour éviter un éboulis ou un glissement, ils placèrent des tiges de métal pour retenir cette section du mur qui risquait de se détacher.

Après le tunnel d'Alexandra, on peut voir deux ponts, tous deux portant le nom d'Alexandra. Après la construction de la Transcanadienne, il a fallu construire un nouveau pont pour traverser le Fraser. Le vieux pont d'Alexandra fut construit en 1926.

C'est d'abord à Yale que l'on fit la découverte de l'or, en 1858. En quelques mois, la population augmenta jusqu'à 20 000 habitants, les nouveaux arrivants venant de partout mais surtout de la Californie. Il fallait 5 heures aux bateaux partant de Hope pour accoster à Yale, mais seulement 45 minutes pour en redescendre, le cours du Fraser étant à cet endroit très rapide. C'est également à Yale qu'on retrouve la plus ancienne église de la Colombie-Britannique. Erigée après la découverte de l'or, l'église anglicane de St. John the Divine est toujours située à son emplacement d'origine.

Après Hope, c'est la descente graduelle vers le littoral. Jusqu'à Vancouver, nous prenons l'autoroute. Après Chilliwack, c'est une région fertile que nous rencontrons. Passé Sumas, on longe le canal Veddar, du nom d'un Hollandais qui assécha le lac Sumas en 1929 afin de favoriser l'agriculture dans cette région.

Victoria — Vallée de l'Okanagan

Pour bien des voyageurs en auto ou en camper, le trajet du retour se fait souvent au sud du 49e parallèle, c'est-à-dire par les États-Unis. C'est dommage, car même si le désir de voir la Californie est très fort, ils manqueront un trajet intéressant.

Le trajet Victoria - vallée de l'Okanagan peut se découper en trois parties: la vallée inférieure du Fraser, le retour dans les montagnes, la vallée de l'Okanagan.

La vallée inférieure du Fraser est une région de fermes laitières et de cultures maraîchères dont les produits sont destinés à la ville de Vancouver. Mais les fermes ne sont pas le seul attrait de cette vallée. Le visiteur pourra faire arrêt à Fort Langley, aujourd'hui un parc national historique. A l'origine un poste de traite des fourrures de la Compagnie de la Baie d'Hudson, Fort Langley fut brièvement la capitale de la Colombie-Britannique.

À une cinquantaine de kilomètres à l'est de Fort Langley, le canal Vedder mérite une visite. Au début du siècle, cette région n'était qu'une vaste étendue marécageuse. Un Hollandais du nom de Vedder proposa d'assécher le lac (le lac Sumas) et les marais afin de récupérer environ 12 000 ha de terres propices à l'agriculture. Un peu avant d'arriver à Hope, il vous est possible de visiter The Minter Gardens. Ouverts depuis quelques années, ces jardins étalent sous vos yeux toute une variété de plantes plus belles les unes que les autres. À Hope, une ville témoin de la ruée vers l'or, se trouve l'une des plus vieilles églises de la Colombie-Britannique, l'église Christ Church.

À une trentaine de kilomètres de Hope, sur la route 3, faites un arrêt au glissement de terrain de Hope. Un matin de 1965, après un petit tremblement de terre, un pan de la montagne Johnson se détacha et 100 millions de tonnes de pierre ensevelirent la route et un lac au bas de la montagne.

Le parc provincial de Manning est l'endroit idéal pour s'arrêter et se reposer. Si la température est mauvaise, vous pouvez manger à la cafétéria du Manning Park Lodge. Sinon, prenez la route à votre droite un peu après Manning Park Lodge, et rendez-vous au lac Lightning. L'endroit est accueillant et le décor est de toute beauté. Vous y retrouverez un peu le décor des Rocheuses.

Avec Keremeos, nous entrons dans la vallée de l'Okanagan. Tout comme avant d'arriver à Kamloops le paysage devenait plus aride, le même phénomène se produit ici. Petit à petit apparaissent les pins ponderosa et la sauge sauvage. Cette vallée, la fameuse

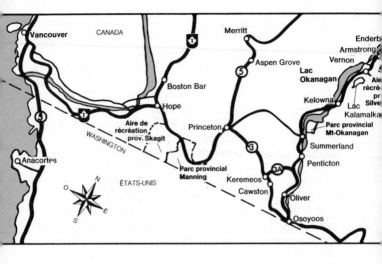

vallée des fruits, a environ 110 km de long sur 15 de large.

En saison, on peut y déguster des fruits délicieux. Au mois de juillet, par exemple, c'est la saison des cerises, suivie de celle des pêches et des abricots. Les comptoirs de fruits le long des routes sont nombreux. À certains endroits, le propriétaire vous donnera peut-être la permission de cueillir vous-même les fruits à condition, bien entendu, que vous respectiez les arbres.

Pour se rendre à Penticton, il faut quitter la route 3 et prendre la route 3A qui mène à la jonction de la route 97, un peu avant Penticton. L'une des trois villes importantes de la vallée de l'Okanagan, Penticton est un centre touristique important. Les plages y sont superbes. Là aussi, vous pourrez déguster des fruits à volonté puisque Penticton est un grand centre de distribution de fruits.

De Penticton à Kelowna, la route longe le lac Okanagan. Ce lac, de 80 km environ de long, s'étend jusqu'à Vernon. Une légende y est rattachée. Tout comme celui du Loch Ness, un monstre du nom d'Ogopogo habiterait ce lac. Les Indiens le craignaient et, pour éviter d'être eux-mêmes attaqués, ils lui jetaient de petits animaux pour le nourrir. Jamais le monstre n'a pu être photographié. Aujourd'hui, on le surnomme Friendly Monster. Comme nous arrivons à Kelowna, nous traversons un pont flottant (le plus long pont de ce type au Canada) dont le centre peut s'élever pour permettre aux bateaux de passer.

Kelowna est, comme toutes les villes de l'Okanagan, une ville à vocation fruitière. C'est aussi un centre de villégiature très important. Sa population est d'environ 55 000 habitants. Un tiers des pommes du Canada provient de Kelowna. À la fin du mois de juillet, les régates internationales de Kelowna attirent beaucoup de touristes. Sur les bords du lac, près de la marina, une sculpture du monstre Ogopogo vous donne une idée de ce Friendly Monster de la région. La compagnie Calona Wines offre des visites guidées (en anglais) d'une industrie prospère autant pour le vin vendu partout dans l'Ouest que pour son activité liée à la distillerie des produits fruitiers pour les grandes distilleries de l'Est.

Si vous avez décidé de poursuivre votre route jusqu'à Vernon, la dernière ville importante de la vallée de l'Okanagan, il vous faudra vous soumettre à un examen pour le moins inaccoutumé. On essaie, en effet, de protéger les lacs de la prolifération des mauvaises herbes. Il vous faudra donc faire vérifier l'hélice de votre embarcation à moteur (si vous en possédez une) à des points de vérification.

Un peu avant Vernon, le lac Kalamalka (le « lac aux couleurs multiples ») mérite qu'on s'y arrête. Les couleurs changeantes de ses eaux montreront qu'il porte vraiment son nom.

Vernon est une petite ville comparée à Kelowna. Mais son industrie fruitière est prospère et elle possède un musée où sont exposés des objets des Indiens salishs et des outils utilisés par les pionniers. C'est à partir de cette ville que les régions forestière et montagneuse que nous avions quittées à Kamloops reprennent possession du paysage. Mais vous garderez de la vallée de l'Okanagan un merveilleux souvenir.

Okanagan – Banff

Un peu au nord de Vernon, sur la route qui vous conduira à Revelstoke, ne manquez pas de visiter le ranch O'Keefe, l'un des premiers grands établissements d'élevage de l'Okanagan, fondé en 1867.

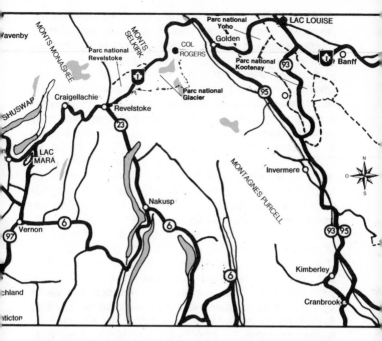

Passé Enderby, vous pouvez emprunter la route 97B jusqu'à la Transcanadienne et vous rendre jusqu'à la rivière Shuswap où abondent truites et saumons. Certains saumons remontent plus au nord jusqu'au lac Adams.

En reprenant la Transcanadienne vers l'est, ne manquez pas de faire un arrêt à Craigellachie. C'est un autre lieu symbolique qui a sa petite histoire puisque c'est ici que fut planté le dernier tire-fond du Canadien Pacifique, en 1885.

Craigellachie est un mot écossais signifiant « rencontre d'un clan ». On nomma ce lieu après la réponse brève qu'on reçut à un télégramme envoyé en Écosse afin d'obtenir des capitaux pour poursuivre la construction du chemin de fer: Craigellachie. Les administrateurs comprirent le sens de la réponse et purent ainsi poursuivre leur oeuvre. La construction d'un chemin de fer qui devait relier cette région aux provinces de l'est du Canada était une des conditions pour que la Colombie-Britannique se joigne à la Confédération. Ce chemin de fer, qui devait être complété en 10 ans, fut construit en moins de 5 ans, soit de 1881 à 1885. L'entrée dans la Confédération de la Colombie-Britannique signifiait également un nouveau marché pour les provinces de l'Est et l'impossibilité constitutionnelle pour la Colombie-Britannique de se joindre aux États-Unis.

À peine une vingtaine de minutes et nous atteignons Three Valley Gap. Nous remarquons que les montagnes sont plus élevées. Nous ne sommes plus qu'à une quinzaine de minutes de Revelstoke, mais l'endroit mérite qu'on s'y arrête. C'est à cet endroit que Walter Moberly aurait découvert le col de l'Aigle (Eagle Pass) en 1865, ce qui allait permettre le passage de la voie ferrée du CP plus tard. Three Valley Gap, c'est une histoire que seul Gordon Bell, propriétaire de l'hôtel, peut vous raconter. Il a lui-même reconstitué une ville minière du XIXe siècle qui comprend un salon de coiffeur-dentiste, une petite église, une hutte de rondins, une école de bois, l'échoppe d'un charron et une prison. L'électricité est fournie grâce à une génératrice. Outre la visite du village, on peut assister à une cérémonie de mariage à la vieille église du village, aller à la pêche, se baigner, faire de la marche en forêt, faire un tour de train miniature ou encore prendre des photos dans le jardin illuminé, le soir.

Si vous décidez de coucher à Revelstoke, vous remarquerez l'inclinaison très accentuée des toits des maisons, ce qui permet à la neige de glisser plus facilement. Les chutes de neige en hiver sont en effet très importantes dans cette région. Revelstoke, c'est également le retour des glaciers. Un de ceux-ci a été nommé Begbie en l'honneur du juge Matthew Baillie Begbie qui fit respecter la loi lors de la ruée vers l'or avec une sévérité et une ténacité sans pareilles. Informez-vous en ce qui concerne le canyon Hot Springs. Vous pourrez vous beigner dans des eaux sulfureuses semblables à celles de Sulphur Mountain, à Banff.

En quittant Revelstoke, nous entrons dans le parc national du Mont-Revelstoke où l'on peut se livrer à toutes les activités qui sont propres aux parcs nationaux en plus de faire du ski en hiver. Après ce petit parc, nous entrons dans le parc national Glacier. C'est dans cette région que les précipitations de neige sont les plus élevées au Canada. Arrivés au mont Sir MacDonald, nous passons au-dessus d'un tunnel ferroviaire, le tunnel Connaugh, de 8 km de long. Peu après, nous pouvons faire un arrêt à l'emplacement où la route transcanadienne a été officiellement inaugurée en 1962. Puis, c'est le col de Rogers, nommé ainsi en l'honneur du major Rogers qui le découvrit.

Tout au long du trajet dans le parc Glacier, on peut voir des tunnels au-dessus de la route et au-dessus du chemin de fer. Ces tunnels constituent des abris en cas d'avalanches, nombreuses dans cette région. Lorsqu'un amoncellement dangereux est décelé, la route est fermée et des artilleurs tirent à l'obusier pour provoquer les avalanches. On déblaie, puis on ouvre à nouveau la route à la circulation. Des explications supplémentaires, avant d'entreprendre un voyage dans cette région, peuvent être obtenues grâce à une brochure de Parcs Canada, intitulée *La lutte contre la neige.* Il suffit d'écrire à Parcs Canada pour l'obtenir.

Entre la sortie du parc Glacier et Golden, on peut remarquer de nombreuses trouées dans la forêt, car la coupe du bois est une industrie importante. À l'entrée de cette petite ville, à gauche de la route et à flanc de montagne, on remarquera des chalets suisses datant du début du siècle alors que des guides suisses vinrent s'installer à Golden.

Un peu après Golden, nous traverserons un troisième col: le col du Cheval-qui-rue, nommé ainsi en l'honneur de son découvreur, Sir Hector, qui subit une ruade de son cheval. Le décor y est magnifique. Dans le parc national Yoho, on peut faire un léger détour pour visiter le lac Emeraude, découvert par Tom Wilson, le même qui découvrit le lac Louise. Au retour, sur la Transcanadienne, à gauche, un arrêt au tunnel en spirale mérite notre attention, surtout si un train passe à ce moment-là. Le tunnel fut construit ainsi en spirale afin de réduire la pente du chemin de fer et amener de 4 à 2 le nombre de locomotives nécessaires pour tirer le train. Un panneau indique comment on procède pour creuser en spirale dans les montagnes.

C'est le retour en territoire connu, en Alberta. On peut s'arrêter au lac Louise ou à Banff pour contempler une dernière fois cette région qui est une des plus belles au monde.

ANNEXE III

Un peu d'histoire

La ruée vers l'or

La ruée vers l'or du Caribou débuta en 1858. La découverte de Hill, membre d'une expédition qui venait de quitter Fort Hope en provenance de San Francisco, enflamma l'imagination des prospecteurs des placers épuisés en Californie. Dès lors, des vagues de bateaux à vapeur déferlèrent régulièrement sur Fort Victoria y débarquant de 1 000 à 2 000 passagers à la fois, soit un peu plus que ne le laissaient entendre les livres de bord. Aussitôt le pied à terre, les prospecteurs remontaient le cours du Fraser, à la recherche du fameux métal jaune. Mais la remontée de ce fleuve tumultueux des montagnes Rocheuses, aux crues aussi soudaines que violentes, ne se faisait pas sans risque. Plusieurs y perdirent la vie avant d'atteindre les lieux aurifères.

Forcés de porter leurs canots à travers les terres, les mineurs se livraient à de graves écarts de comportement, molestant les Indiens et se volant mutuellement l'or découvert. Les tribus indiennes ne tardèrent pas à répliquer et, à l'été de 1858, on retrouva des corps mutilés et scalpés tout le long du canyon. Le 18 août, 100 hommes armés franchirent le canyon en amont pour rétablir l'ordre. Une semaine plus tard, un traité de paix était signé.

Des 30 000 hommes qui empruntèrent le cours du Fraser, 25 000 rebroussèrent chemin, dépités des tueries, du coût élevé des vivres, effrayés par les eaux menaçantes des cours d'eau, le froid et la neige.

Ceux qui étaient plus déterminés poursuivirent leur route. Parmi ces quelque 1 500 hardis explorateurs, un groupe d'Américains menés par Peter Dunlevy et un Indien nommé Long Baptiste, découvraient des pépites à pleines poignées dans la région arrosée par le Cariboo.

Plus tard, en 1861, un marin anglais nommé Billy Barker exploitait un filon, situé sur le ruisseau Williams, qui cédait des pépites d'or aussi grosses que des oeufs! La nouvelle se répandit comme une traînée de poudre. Les journaux de San Francisco du 24 octobre 1861 déclaraient que chaque mineur rapportait de 5000 $ à 20000 $, le fruit d'un court labeur d'environ trois mois. Comparé au salaire moyen de 2 $ par jour, on ne se surprend guère de la ruée en direction du Cariboo.

La route des exploitations aurifères était longue, parsemée de vastes marais à contourner et d'arbres morts à franchir. Elle serpentait à travers monts et vallées, longeant des précipices où plusieurs prospecteurs, par accident ou par malveillance, y furent précipités.

Le gouverneur de la Colombie-Britannique, James Douglas, fit élargir une route carrossable menant à Cariboo. Grâce aux Royal Engineers de l'Armée anglaise et à certains entrepreneurs privés, on compléta les 500 km qui séparent Yale de Soda Creek en septembre 1863. Ainsi étaient éliminées toutes les escales en traversier qui coûtaient de plus en plus cher à mesure que les pionniers s'approchaient de leur destination. Par la suite, de nouveaux tronçons vinrent se greffer à la route. La voie ferrée et les bateaux à vapeur accélérèrent le transport, ce qui contribua à réduire le prix des denrées. Pendant près de 40 ans, pour accéder au terminus au nord de la route Cariboo, Quesnel, les bateaux à aubes devaient être les meilleurs. Grâce à leur fond plat et à leur construction de bois qu'on pouvait facilement réparer, ils pouvaient se rendre à bon port.

Les maisons parsemées le long du parcours (100 Mile House, 150 Mile House, etc.) servaient de repères aux prospecteurs. La qualité de la nourriture, la propreté des lits et l'hospitalité variaient grandement dans ces auberges improvisées.

La route du Caribou

Si le chemin de fer a contribué au développement de la Colombie-Britannique, la ruée vers l'or a ouvert l'intérieur de la province aux aventuriers en quête d'une richesse rapide. Nombreux sont ceux qui sont partis pour trouver la fortune, venant d'aussi loin que la Californie, mais peu se sont enrichis. La route était longue et difficile, tandis que les denrées se vendaient à des prix exorbitants.

De Cache Creek, les chercheurs d'or se dirigeaient vers Clinton, Lillooet, Quesnel et Barkerville. La route est parsemée de sites historiques, de points d'intérêt, de musées. Dès 1858, lors de la découverte de l'or à Yale, ce fut la ruée vers l'intérieur des terres afin de s'approprier une concession.

Lillooet

C'est le point de départ de la fameuse route du Cariboo, construite par les ingénieurs de l'Armée anglaise en 1859. Même si, plus tard, on construisit une autre route, on garda quand même Lillooet comme point de départ de la route du Caribou. On peut y visiter l'arbre du Pendu (Hangman's Tree), le Mile 0, le site du fort Berens (poste de traite des fourrures de la Compagnie de la Baie d'Hudson construit en 1859 mais démoli en 1860), Seton Creek où le saumon fraie.

Clinton

En provenance de Lillooet, les diligences passaient par Clinton qui portait alors le nom de 47 Mile House. La pêche y est excellente. On peut y voir des ranchs des premiers colons. Aujourd'hui, l'économie repose sur l'industrie forestière, l'élevage et le tourisme. On peut visiter l'hôtel Clinton, réplique de l'auberge 47 Mile House qui brûla en 1958.

70 Mile House

Cet arrêt de diligence fut aussi connu sous le nom de Boyd's House. Une route passe près de Green Lake et Bridge Lake permettant ainsi d'atteindre Little Fort sur la route 5.

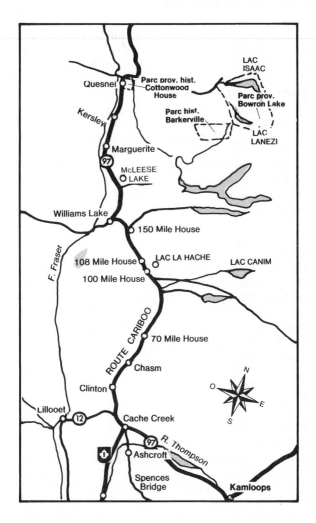

83 Mile House
Construite en 1862, cette auberge devint en 1868 un poste de relais pour changer les chevaux des diligences. Elle fut détruite en partie par le feu en 1923. On peut s'y arrêter pour se rafraîchir.

100 Mile House
Connue d'abord sous le nom de Bridge Creek, cette auberge fut construite en 1863. En 1937, elle fut détruite par le feu. En 1912, le marquis d'Exeter

fit l'acquisition d'un ranch, qui appartient aujourd'hui à son fils, Lord Martin Cecil. La région est un centre d'élevage, mais on y exploite aussi la forêt et les mines. Pas loin de là se trouve un centre de villégiature sur le lac Canim où l'on peut s'adonner à la pêche, se baigner, faire du ski nautique, de la marche en forêt et voir les chutes de la rivière Canim.

Lac-La-Hache
La pêche est excellente en été sur le lac du même nom alors qu'en hiver le hameau de Lac-La-Hache constitue le point de départ d'un marathon de ski de fond. Des régates ont également lieu chaque année. Les principales industries sont l'élevage et l'industrie forestière.

150 Mile House
C'est à la suite de difficultés financières qu'il fut décidé que la route du Caribou passerait plus à l'est de Williams Lake. 150 Mile House fut à une époque une agglomération plus importante que Williams Lake.

Williams Lake
Important centre d'élevage, l'industrie forestière s'y développe également rapidement. Chaque année, en juillet, le Stampede de Williams Lake attire des milliers de visiteurs de la région. À 15 km au nord de Williams Lake, on peut visiter le musée historique de la Faune (Wildlife Historical Museum).

Soda Creek
Un monument rappelle les bateaux à aube ayant servi à transporter le matériel de Soda Creek à Quesnel et de Fort George à Tête-Jaune-Cache.

Quesnel
Tout comme Williams Lake, Quesnel est une région dont l'économie est principalement basée sur l'agriculture, l'industrie forestière, les mines et le tourisme. Quesnel dessert une population de plus de 20 000 habitants. La ville est située au confluent de la rivière Quesnel et du Fraser. Tous les ans, pendant quatre jours, on célèbre les Jours de Billy Barker. À cette occasion, les résidants s'habillent en costume du XIXe siècle.

Barkerville

Ainsi nommé d'après Billy Barker, un prospecteur qui découvrit de l'or à plus de 16 m de profondeur, Barkerville est aujourd'hui un site historique que plusieurs ne voudront pas manquer. Le Théâtre Royal donne des spectacles de l'époque de la ruée vers l'or. On peut encore tenter sa chance en pataugeant dans les ruisseaux de la région pour trouver quelques pépites oubliées par les prospecteurs...

Parc provincial Bowron Lake

Un très beau parc où il est possible de faire du camping, apercevoir des animaux sauvages, faire du canotage ou de la pêche.

Le Canadien Pacifique

S'il y a une entreprise qui est liée de près à l'évolution économique et démographique du Canada depuis déjà un siècle, c'est bien le Canadien Pacifique. À l'origine, le prolongement de ses lignes de chemin de fer dans les provinces de l'Ouest a été dû à des conditions politiques et économiques. En effet, d'une part, les États-Unis avaient des visées d'expansion sur les terres de l'ouest du Canada de 1867 et, d'autre part, le Canada de l'Est avait besoin de débouchés économiques. C'est alors que Sir John A. Macdonald fit entrer dans la Confédération deux territoires : le Manitoba (1870) et la Colombie-Britannique (1871). Toutefois, cette dernière avait accepté qu'à la condition expresse qu'une voie de chemin de fer la relie aux provinces de l'Est.

Le Canadien Pacifique, connu alors (1881) sous le nom de Canadian Pacific Railway Company, fut chargé par le gouvernement canadien de s'atteler à cette tâche. La compagnie avait 10 ans pour effectuer la jonction entre l'Est et l'Ouest, mais le chemin de fer, divisé en trois sections depuis le nord du Lac Supérieur, devait être achevé en moins de cinq ans. Le dernier tire-fond fut posé le 7 novembre 1885 à Craigellachie.

Le tronçon des Rocheuses a été le plus difficile à établir. Il a fallu en effet percer des tunnels, franchir des cols (Kicking Horse Pass, Rogers Pass, Eagle

Pass), construire des abris contre les avalanches (surtout dans le col de Rogers); un tunnel en spirale dans le col du Hicking Horse Pass a également été creusé pour réduire la pente dangereuse que constituait ce col (surnommé col de la «grande pente»), réduisant ainsi le nombre de locomotives nécessaires (de 4 à 2) pour tirer les convois et les dangers de déraillement.

Le premier train de voyageurs à traverser le Canada de Montréal (Québec) à Port Moody (Colombie-Britannique), le *Pacific Express,* effectua le trajet en 139 heures, du 28 juin au 4 juillet 1886.

Les jardins Butchart

Il est très difficile de décrire la splendeur des jardins Butchart sans les avoir vus. Même en photo, les jardins ne sont qu'une réplique de la réalité. Une publication, *Les Jardins Butchart,* éditée en français par The Butchart Gardens, est en vente au magasin de souvenirs de Butchart Gardens. C'est de cette publication que nous avons tiré le texte qui suit.

Avec la croissance des zones urbaines, les usines de ciment commencent à parsemer les paysages canadien et américain. M. Butchart est un des premiers à émigrer vers l'ouest, arrivant à Victoria au début du siècle. On lui apprend l'existence de dépôts de pierre à chaux à une vingtaine de kilomètre au nord, dans la péninsule de Saanich. Après s'être rendu dans les environs de Tod Inlet, il en conclut que les conditions sont excellentes pour l'établissement d'une usine de ciment. Par ailleurs, sa famille pense que les champs, les bois et les eaux calmes de la mer sont un cadre idéal pour la construction de leur maison. La construction de la première partie de la demeure prend fin en 1904 et la première cargaison de ciment quitte la nouvelle usine en 1905. Jenny Butchart avoue tout ignorer du jardinage. Pourtant, c'est avec plaisir qu'elle reçoit des pois de senteur et une unique rose d'un ami. En les plantant autour de la maison, elle ne peut se douter qu'elle vient de planter les premiers jalons d'une des plus fameuses aventures horticoles.

Une série de jardins individuels commence à entourer la maison des Butchart. Le jardin japonais s'étale au nord, jusqu'au rivage de la crique Butchart, une petite anse faisant partie de Tod Inlet où M. Butchart a l'habitude d'ancrer son yatch. Les pelouses ondulantes s'étendent jusqu'au « torii » au vernis rouge qui marque encore l'entrée du jardin japonais.

La carrière se trouve au sud, entre la résidence et l'usine de ciment. Elle deviendra, en l'espace de quelques courtes années, le spectaculaire jardin en contrebas. En attendant, elle ne représente rien de plus que des mois de dur labeur. On amasse les rochers épars qu'on entasse à des endroits déterminés. Ils serviront de fondations aux parterres surélevés et de bordures aux autres plates-bandes. Une ferme voisine fournit des tonnes de bonne terre qui y seront transportées en charrette. On choisit soigneusement l'endroit où l'on plantera les arbres. On prépare une partie particulièrement profonde de la carrière en vue de l'inonder et d'en faire un lac qu'on alimentera par une cascade et un ruisseau.

Pour cacher la laideur des murailles grises de la carrière, Mme Butchart se fait suspendre dans une chaise de quartier-maître et, en se balançant le long des parois, place du lierre dans toutes les crevasses et cavités qu'elle rencontre. Enfin, on organise en de brillants motifs un foisonnement de plantes : annuelles, bisannuelles, plantes vivaces et arbustes à fleurs d'innombrables variétés.

La légende des fameux jardins de M. et Mme Butchart se propage vite. Dès le début, on accueille des amis et même de parfaits inconnus qui viennent visiter le merveilleux chef-d'oeuvre d'horticulture. M. et Mme Butchart baptisent leur maison Benvenuto (bienvenue, en italien) et se réjouissent du plaisir qu'ils procurent aux visiteurs. On sert le thé à tous ceux qui arrivent, jusqu'à ce que leur nombre rende cette marque de bienveillance impossible. En 1915, on a ainsi servi quelque 18 000 personnes. Mme Butchart ne dédaigne pas de servir le thé elle-même. Lorsqu'un monsieur, ignorant son identité, voulut lui laisser un pourboire, elle s'exclama : « Oh non!

merci, monsieur! La vieille Mme Butchart m'interdit d'accepter quoi que ce soit!» Cette femme si chaleureuse et si simple célèbre la vie avec une exubérance telle qu'il lui arrive de temps en temps de se promener dans les jardins et d'inviter à dîner un groupe d'inconnus. Sa perception artistique, qui lui permet de choisir les arrangements floraux aux couleurs les plus spectaculaires, et son merveilleux sens de l'hospitalité lui attirent la sympathie de tous.

Les jardins ne cessent de grandir. En 1930, on ajoute la Roseraie aux Jardins et la Résidence s'agrandit du Jardin d'hiver. On embellit l'accès aux jardins en construisant une nouvelle route revêtue de ciment Butchart et ombragée par 566 cerisiers exotiques que M. Butchart a achetés au Japon. On donne le nom de Benvenuto à cette route de 1,5 km.

M. et Mme Butchart voyagent maintenant à l'étranger pendant l'hiver à la recherche de plantes pour leurs jardins. Mais ils reviennent à Benvenuto au printemps tout comme leurs visiteurs. La fille de M. et Mme Butchart, Jennie, qui, à la suite de la mort précoce de Harry Ross, s'était remariée au prince Chirinsky-Chikhmatoff, rapporte dans son journal intime qu'au retour d'un de ces voyages il était courant pour Mme Butchart de travailler dans ses jardins pendant plus de 12 heures.

Pendant la Seconde Guerre mondiale, le manque de main-d'oeuvre se fait sentir. Il n'y a pour ainsi dire personne pour entretenir les jardins. L'âge et la santé fragile de M. Butchart le forcent à s'installer à Victoria. Il y meurt en 1943 et Mme Butchart en 1950. Tous deux ont vécu plus de 80 années heureuses et bien remplies. Leurs filles entretiennent de leur mieux les jardins en attendant le retour de Ian Ross, le fils de Jennie, qui s'est enrôlé dans la marine royale canadienne et à qui M. et Mme Butchart ont légué les jardins.

C'est à lui et à Ann-Lee, sa femme, une Américaine de Chicago, qu'échoit la restauration des jardins: une immense tâche de nettoyage après des années d'abandon. Leur but atteint, ils célèbrent le 50e anniversaire des Jardins Butchart par l'installation des illuminations nocturnes et le 60e en 1964 par l'addition des Fontaines Ross. À l'emplacement du potager de M. et Mme Butchart, ils construisirent la Scène de plein air et commencent la tradition des divertissements nocturnes dans le Jardin des Concerts.

Quelques dates à retenir

1774 Les Espagnols arrivent sur la côte Ouest

1778 Arrivée de James Cook sur l'île Vancouver (1)

1791 George Vancouver prend possession des établissements espagnols de la côte Ouest

1792 George Vancouver arrive à l'anse Burrard

1793 Alexander Mackenzie atteint l'Ouest canadien par terre

1808 Simon Fraser descend le fleuve qui portera son nom

1858 Ruée vers l'or sur le Fraser

1862 Victoria devient ville

1865 Découverte du col de l'Aigle par Walter Moberley

1868 Victoria devient capitale de la Colombie-Britannique

1871 Entrée de la Colombie-Britannique dans la Confédération

1881 Découverte du col Rogers par le major Rogers

1882 Découverte du lac Louise par Tom Wilson

1884 Découverte du lac Emeraude par Tom Wilson

1885 Inauguration du Canadien Pacifique à Craigellachie

1886 Construction de l'hôtel Banff Spring

1886 Vancouver devient ville

1887 Création du parc national Rocky Mountains

1888 Inauguration du parc Stanley à Vancouver

1892 Calgary devient ville

---

(1) Par mesure de clarification, le nom actuel de l'endroit a été conservé.

1894 Découverte du lac Peyto par Bill Peyto
1905 Glissement de terrain à Spences Bridge
1905 Entrée de l'Alberta dans la Confédération
1912 Premier stampede à Calgary
1924 Assèchement du lac Sumas, près de Vancouver
1955 Mort de 7 alpinistes au mont Temple, entre Banff et le lac Moraine
1962 Inauguration de la Transcanadienne
1964 Inauguration du parc Heritage à Calgary
1965 Glissement de terrain près de Hope
1967 Inauguration de la tour Husky à Calgary
1967 Centenaire de la Confédération
1971 Centenaire de l'entrée de la Colombie-Britannique dans la Confédération

ANNEXE IV

Renseignements généraux

Les droits de voyageurs

En annexe à ce guide, nous avons cru bon de rappeler aux voyageurs quels sont leurs droits, spécialement lors de l'annulation d'un vol ou quand il y a survente de billets de la part d'une compagnie aérienne. Ces règles valent pour les voyageurs qui partent du Canada.

Donc, vous vous présentez un bon matin à l'aéroport avec des réservations en bonne et due forme et on vous apprend que ce vol est annulé. Il ne vous reste qu'à reprendre vos bagages, rentrer à la maison, et réclamer à votre compagnie aérienne les frais et les dommages encourus à la suite de l'annulation de votre voyage.

Voilà la règle générale que les compagnies aériennes peuvent appliquer puisque, d'une part la compagnie peut toujours se prévaloir du droit d'annuler ses vols, et que, d'autre part, il n'y a aucun règlement automatique protégeant les voyageurs contre de telles éventualités.

En fait, pour certains voyageurs, les frais peuvent être minimes. Pour d'autres qui, par exemple, ont dû faire des centaines de kilomètres en auto, ou qui perdent des arrhes pour la location de leur voiture et leur chambre d'hôtel, à la suite de l'annulation du voyage, les frais peuvent être très élevés de même que leurs réclamations auprès de la compagnie aérienne.

C'est la raison qui explique l'inexistence de règlement automatique.

Il n'en est pas de même lorsqu'il y a survente de billets de la part de la compagnie aérienne. Ainsi, un voyageur se présente au comptoir des billets à l'aéroport avec des réservations. Or la compagnie aérienne, au lieu d'avoir vendu 200 billets, a émis 205 billets de sorte qu'il y a alors cinq voyageurs qui ne pourront faire le voyage.

Dans ce cas, il existe des règles spéciales adoptées par les compagnies aériennes, qui protègent d'une certaine manière les voyageurs.

Ainsi, s'il s'agit d'un vol à l'intérieur du Canada, le voyageur qui manque son vol parce qu'il y a eu survente de billets est indemnisé jusqu'à concurrence de 100 $, soit le prix de son billet aller. S'il ne peut partir le jour même par un autre vol, la compagnie lui rembourse le coût de son hôtel, ses repas et ses autres frais. S'il y a d'autres dépenses, comme un dépôt versé pour réservation d'hôtel, il les réclame à la compagnie aérienne.

S'il s'agit maintenant d'un vol en provenance des Etats-Unis, le voyageur qui est victime de survente reçoit le remboursement de son billet aller ou retour, le minimum étant de 37.50 $ et le maximum de 200 $, et s'il arrive à destination avec plus de trois heures de retard, il a droit au double du prix de son billet.

En tout temps, le voyageur peut réclamer les frais et les dommages qu'il estime avoir subis, et le service à la clientèle des compagnies aériennes voit à son règlement. Evidemment, si le voyageur n'est pas satisfait, il y a toujours les tribunaux.

Voilà brièvement les droits des voyageurs qui sont victimes d'annulations de vol ou de survente de billets. Cela s'applique pour toutes les compagnies aériennes.

Enfin, voici quelques notes sur la protection réelle qu'offrent les assurances-voyages.

Avec la popularité croissante des vols nolisés, de plus en plus de voyageurs doivent décider du jour de leur départ longtemps à l'avance, avec les risques que cela comporte.

Les voyageurs qui ont la chance de pouvoir réserver à la dernière minute savent évidemment un peu mieux ce qui peut leur arriver, mais ils courent le risque de rester en ville, car les meilleurs vols de départ sont réservés longtemps à l'avance.

Comme il faut réserver ses places trois ou quatre mois avant le départ, surtout pour les périodes de pointe de Noël et de Pâques, les voyageurs doivent donc prendre des assurances-voyages.

Voyons donc quelle est la protection réelle offerte par cette assurance, et surtout quelles sont les exceptions, quelquefois surprenantes, qui annulent l'assurance.

La protection

Lorsque le passager assuré est obligé d'annuler son voyage par suite de circonstances imprévisibles ou lorsque le passager assuré est obligé de changer la date de son retour, tel qu'indiqué sur son billet de vol nolisé, par suite de blessure, maladie ou décès du passager assuré ou d'un de ses proches parents (tel que défini).

• Annulation du voyage avant le départ: remboursement du dépôt forfaitaire de réservation au passager assuré.

• Retour au point de départ avant ou après la date de retour inscrite sur le billet pour un vol nolisé: si le transporteur n'est pas en mesure d'offrir un vol de remplacement adéquat, l'assuré obtiendra le remboursement du prix de son billet de retour, jusqu'à concurrence du prix d'un billet aller simple en classe économique, du point de destination au départ, tel qu'inscrit sur le billet initial émis par l'organisateur.

• Décès du passager assuré avant la date de départ: remboursement du dépôt forfaitaire de réservation à la succession du défunt ou à l'exécuteur testamentaire.

• Décès du passager assuré au cours du voyage: paiement du transport du défunt jusqu'au point d'origine inscrit sur le billet initial, jusqu'à concurrence de 1 000 $.

• Allocation de séjour: un montant de 20 $ par jour, maximum de cinq (5) jours, sera versé au passager assuré qui, pour cause de maladie ou de blessure, devra retarder la date prévue de son retour.

• Allocation supplémentaire: un montant supplémentaire de 200 $ sera versé au passager assuré qui, pour cause de maladie ou de blessure, devra changer la date prévue de son retour de trente (30) jours ou plus.

Il est bon ici de remarquer la signification élargie de proche parent qui inclut parents, beaux-parents, grands-parents, petits-enfants, belle-famille, enfants légitimes, illégitimes et adoptés, beaux-fils, belles-filles, frères, soeurs, beaux-frères, belles-soeurs, et/ou le compagnon ou la compagne avec qui le passager voyage.

Il y a cependant des exceptions prévues par la police :

1. Maladie traitée au cours des six mois qui précèdent la date à laquelle la prime d'assurance a été payée.
2. Blessure corporelle reçue avant la date à laquelle la prime d'assurance a été payée.
3. Blessure corporelle reçue en participant à des sports organisés ou à des sports d'hiver.
4. Grossesse qui a débuté avant la date à laquelle la prime d'assurance a été payée.
5. Suicide, blessure volontaire.
6. Opérations militaires, actes de guerre.
7. Annulation résultant d'une grève ou de tout conflit de travail.
7. Annulation du vol prévu.
9. Annulation due à l'impossibilité, pour le passager assuré ou toute personne le représentant, d'obtenir le logement désiré.

Dans cette liste, je note que les blessures corporelles reçues en pratiquant des sports d'hiver annulent l'assurance. Les sportifs doivent donc être prudents. Il en est de même des annulations résultant d'une grève ou de tout conflit de travail. Les compagnies d'assurance devraient étendre leur protection à ces deux facteurs, qui sont la cause de nombre d'annulations.

Enfin, toute réclamation doit être faite dans les 60 jours, un délai important à respecter.

Les règles concernant le transport des bagages en avion

La Commission canadienne des transports a publié récemment un communiqué sur les droits et responsabilités des voyageurs en ce qui concerne leurs bagages, et nous croyons utile de le reproduire à titre de service.

Temps des Fêtes

Le comité des transports aériens de la Commission canadienne des transports vous offre quelques conseils pour vous aider à protéger vos bagages et les cadeaux que vous apportez à vos parents et amis.

La plupart du temps, les bagages parviennent à destination sans difficulté, sauf à l'époque des Fêtes alors que le trafic augmente et que les transporteurs ont plus de bagages à manipuler. En prenant des précautions supplémentaires on peut éviter des contretemps.

Si l'on prend soin de bien faire ses bagages, on a plus de chances qu'ils arrivent intacts et à temps.

Bagages enregistrés

Une étiquette indiquant votre destination est placée sur chaque pièce de bagage. Le coupon qui vous est remis doit être conservé et présenté lorsque vous réclamez vos bagages ou présentez une demande d'indemnité pour perte ou dommage.

Les bagages ne peuvent être transbordés directement d'un vol à horaire fixe à un vol d'affrètement, ou vice versa.

Bagages à main

Tout article apporté dans la cabine des passagers est considéré comme un bagage à main. Pour des raisons de sécurité, chaque pièce ne doit pas mesurer plus de 20 cm x 36 cm x 51 cm (9 po x 16 po x 20 po), hors tout, et doit être placée sous le siège, devant le passager.

Réduire les risques

1. Choisissez des valises, ou sacs, solides et fermant à clé.
2. Inscrivez vos nom, adresse et numéro de téléphone à l'extérieur et à l'intérieur de chaque pièce.
3. Fermez-les toujours à clé.
4. Ne les remplissez pas à l'excès. Si vous devez exercer une pression pour les fermer, c'est qu'ils sont trop pleins. Vous ne serez pas indemnisé pour les dommages résultant de la rupture des bagages bourrés.
5. Apportez avec vous les objets fragiles et les objets de valeur.
6. Prenez également avec vous les médicaments essentiels tels que l'insuline et la digitaline.

7. Il est strictement interdit d'apporter des articles restreints (dangereux) tels que des acides, munitions, capsules et autres explosifs. L'essence à briquet, les allumettes et les aérosols inflammables ne doivent pas être mis dans les bagages. Toute infraction à cette règle peut provoquer des dommages graves dont vous pourriez être tenu responsable.

8. Retirez de vos bagages toutes les étiquettes d'enregistrement antérieures afin d'éviter toute confusion.

9. Assurez-vous que le code de destination sur votre étiquette de bagage (p. ex. XYZ, Toronto; YVR, Vancouver) est le même que celui qui figure sur votre billet.

Responsabilités du transporteur

La responsabilité du transporteur signifie que celui-ci vous remboursera un montant équivalant à la valeur établie de la perte ou des dommages jusqu'à concurrence d'une somme limite précisée dans ses tarifs (tarifs et règles applicables au vol). On ne doit pas confondre cette limite et la valeur d'une assurance personnelle qui pourrait être prise à l'égard des bagages.

Sur les vols à horaire fixe à l'intérieur du Canada, la responsabilité maximale varie de 100 $ à 500 $ selon le transporteur. Sur les vols internationaux, la limite, en vertu d'un traité international, est d'environ 20 $ US par kilogramme (9,07 $ par livre) de bagages enregistrés. Bien que cette dernière responsabilité maximale s'applique également aux affrètements internationaux, la responsabilité pour les affrètements intérieurs peut ne pas dépasser 100 $ par passager.

Valeur déclarée

Vous pouvez, en vous enregistrant pour un vol, déclarer une valeur supérieure pour vos bagages et accroître l'étendue de la responsabilité du transporteur en payant des frais additionnels (environ 10 à 40¢ par 100 $ de valeur supplémentaire). Si vous décidez de procéder ainsi, avertissez l'agent du comptoir des billets en lui remettant vos bagages car celui-ci est autorisé à en examiner le contenu. Il existe généralement une limite à la valeur que l'on peut déclarer (de 2 000 $ à 5 000 $ chez les principaux transporteurs).

Dégagement de responsabilité

Certains articles doivent toujours être pris avec vous et non pas placés dans vos bagages enregistrés. Si vos bagages sont perdus, endommagés, ou retardés et que vous y avez placé volontairement ou par mégarde les articles suivants, votre réclamation de remboursement risque d'être refusée:

1. les articles fragiles ou périssables;
2. l'argent, les bijoux, l'argenterie;
3. les effets négociables, les titres, les documents;
4. les échantillons de commerce;
5. les autres articles de valeur.

Le transporteur se dégage également de toute responsabilité en ce qui a trait aux articles non enregistrés que vous avez pu perdre dans l'aéroport, dans un véhicule de transport en surface, dans un transbordeur ou que vous avez pu oublier à bord de l'avion.

Bagages perdus ou retardés

Le cas échéant, il faut prendre certaines dispositions pour qu'ils soient retrouvés et, sinon, pour que vous soyez indemnisé. Signalez la perte immédiatement! Il se peut qu'on puisse les retrouver à bord de l'avion avant le prochain décollage.

Signalez la perte avant de quitter l'aéroport car, sur certaines lignes intérieures, les transporteurs exigent d'être avisés de la perte ou du retard au plus tard quatre heures après l'arrivée du passager. Autrement vous risquez de voir votre réclamation refusée.

Si vos bagages ne sont pas retrouvés à l'aéroport, demandez à l'agent de remplir le formulaire approprié et demandez-en une copie. Cette formalité remplie, les recherches seront mises en marche. Si après trois jours elles demeurent sans résultat, vous devriez recevoir par la poste des formules de demande de règlement. Soumettez votre demande le plus tôt possible dans les délais qui sont imposés à cet égard. Vols intérieurs — 45 jours; vols internationaux — 21 jours pour les retards; en ce qui concerne les pertes de bagages, consultez le transporteur.

Assurez-vous

a) de signaler la perte immédiatement et de façon complète et exacte;

b) de vérifier soigneusement tous les détails de votre réclamation;

c) de conserver votre coupon de réclamation de bagages jusqu'à ce que ceux-ci vous soient remis.

Bagages endommagés

Vérifiez vos bagages dès que vous les recevez. Si vous constatez qu'ils ont été endommagés, avertissez immédiatement le représentant de la ligne aérienne. Les délais suivant s'appliquent pour la présentation des réclamations: vols intérieurs — 45 jours; vols internationaux — 7 jours après réception des bagages.

L'assurance-maladie à l'extérieur du Québec

Depuis l'avénement de l'assurance-maladie, les Québécois savent qu'ils sont protégés à l'extérieur du Québec, mais il importe de rappeler les règles de la Régie afin d'éviter des délais inutiles dans le remboursement des dépenses.

En règle générale, le Québécois qui reçoit des services assurés dans une autre province du Canada ou dans un autre pays est responsable de l'acquittement du coût de ces services. Il y a cependant des exceptions.

Certains professionnels de la santé, à l'extérieur du Québec, ont adhéré au régime d'assurance-maladie du Québec de sorte que le Québécois n'aura rien à payer s'il est traité par l'un d'eux. Nous les trouvons dans les régions frontalières du Québec, comme en Ontario, au Nouveau-Brunswick, à Terre-Neuve et dans certains Etats américains. Il nous a cependant été impossible d'obtenir de la part de la Régie la liste de ces membres.

Pour être admissible aux remboursements de la Régie, le Québécois doit résider plus de 183 jours par année au Québec.

Passons donc au cas d'un Québécois qui passe plus de 183 jours par année au Québec, et qui se fait traiter à l'étranger par un médecin qui n'a pas adhéré au régime d'assurance-maladie du Québec.

La Régie assume tous les frais jusqu'à concurrence des tarifs en vigueur au Québec. Cela vaut uniquement pour les traitements ou les consultations reçus en milieu hospitalier, c'est-à-dire dans un centre de soins où l'on dispense des examens de laboratoire, des examens radiologiques, des services chirurgicaux, des services d'obstétrique, etc. Les services fournis par les sanatoriums, les stations thermales, les foyers pour personnes âgées et les hôpitaux psychiatriques, en somme tous les soins qui auraient pu être reçus au Québec, ne sont remboursés qu'à 75 pour cent.

Comme la Régie ne rembourse les frais payés à l'étranger qu'aux taux du Québec, le Québécois risque donc d'avoir à payer la différence; il a donc intérêt à avoir une assurance personnelle complémentaire, surtout s'il prévoit un long séjour à l'extérieur du pays.

Après avoir reçu des soins, lorsque vous êtes toujours à l'étranger, il faut conserver tous les documents justificatifs dont vous aurez besoin pour obtenir un paiement ou un remboursement de la Régie. Mieux vaut trop en avoir que pas assez! Si vous attendez d'être de retour au Québec pour vous occuper de recueillir ces renseignements, vous risquez d'avoir de mauvaises surprises qui auraient pu être évitées.

Il faut d'ailleurs prévoir une période de trois à quatre mois avant d'être remboursé par la Régie. Il importe donc d'avertir le médecin, ou l'hôpital, qu'il devra attendre avec patience avant d'être remboursé par la Régie, advenant le cas que vous n'ayez pas eu à payer avant de partir. On nous signale également qu'il ne faut pas acquitter une facture directement au médecin ou à l'hôpital si vous avez déjà saisi la Régie d'une demande de remboursement, car il se pourrait que la facture soit acquittée deux fois.

Voici donc les informations qu'il faut recueillir en fonction de la demande de paiement ou de remboursement.

Vos nom et prénom. L'adresse de votre résidence (au Québec). Votre date de naissance (jour, mois, année). Votre sexe. Votre numéro d'assurance-maladie. La date de votre départ du Québec (jour, mois, année). La date de votre retour au Québec (jour, mois, année). La raison de votre séjour à l'extérieur ; vacances ; études ; travail ; autres...

Quel est l'objet de votre demande à la Régie?
Services d'un professionnel de la santé. (Inclure l'original de l'état de compte ou du reçu.)

Qui vous a soigné? Nom et prénom du professionnel de la santé. Sa spécialité. L'adresse de sa résidence et de son cabinet.

Où vous a-t-on soigné? Nom et adresse de l'endroit où les services ont été rendus : cabinet privé du professionnel de la santé ; hôtel ; clinique d'urgence ou clinique externe d'un hôpital ; etc.

Quand vous a-t-on soigné? Jour, mois, année.

Pour quoi vous a-t-on soigné? Diagnostic du professionnel de la santé. Description du traitement.

Si vous avez subi une intervention chirurgicale, indiquez la date et le type d'intervention.

Si vous avez subi une anesthésie, indiquez la date et la durée.

Services rendus en milieu hospitalier. (Inclure l'original de l'état de compte ou du reçu détaillé et final.)

Où avez-vous été soigné? Nom et adresse du centre hospitalier.

Quand avez-vous été soigné? Date d'admission à l'hôpital. Date de sortie de l'hôpital (jour, mois, année).

Pour quoi vous a-t-on soigné?

Diagnostic du professionnel de la santé. Description du traitement.

Si vous avez subi une intervention chirurgicale, indiquez la date et le type d'intervention (une copie du protocole opératoire peut être utile).

Si vous avez subi une anesthésie, indiquez la date et la durée (heures et minutes).

Quel est le taux, au plus bas prix, de la salle commune au centre hospitalier où vous avez été traité?

Il ne faut pas oublier que les médicaments sont remboursés aux personnes de plus de 65 ans, que les frais d'ambulance ne sont pas remboursés, et qu'il faut garder une photocopie ou un duplicata de tous ses reçus lorsque les originaux sont envoyés à la Régie avec le formulaire prévu à cet effet.

A votre retour au Québec, il ne vous restera qu'à demander le formulaire requis pour les remboursements, en écrivant: Régie d'assurance-maladie, Village olympique, 5199 est, rue Sherbrooke, Pyramide B, Bureau 4220, Montréal H1T 3V3.

Pour tous renseignements supplémentaires, ou encore si vous désirez obtenir un dépliant sur le programme des services assurés, reçus hors du Québec, il faut téléphoner à Montréal, 256-2611.

Principales chaînes d'hôtels

Four Seasons Hôtel 112-800-268-6282
(Vancouver)
Holiday Inn 112-800-268-8811
(Vancouver)
Sandman Inns (604) 681-2211 (Vancouver)
(403) 237-8626 (Calgary)
Slumber Lodge (604) 682-6171 (Vancouver)
Flagg Inn (604) 388-4644 (Victoria)
Sheraton 800-268-9330
Best Western 112-800-268-8993
Hôtels CN 112-800-268-8136
Hôtels CP 1-800-268-9420 (de Montréal)

Tableau des distances (Kilomètres)
Alberta

	Banff	Brooks	Calgary	Camrose	Cardston	Drumheller	Edmonton	Edson	Fort Macleod	Fort Mc Murray	Grande-Prairie	Hinton	Jasper	Lac-Louise	Lethbridge	Lloydminster	Medicine Hat	Peace River	Red Deer	Rocky Mtn. House	Waterton Park
Banff		313	130	400	355	265	422	450	293	857	831	361	287	56	345	643	421	858	270	313	394
Brooks			186	331	238	209	424	610	213	821	884	670	596	365	161	462	112	911	302	386	291
Calgary				275	227	138	297	453	165	620	775	487	413	182	217	518	294	775	145	229	266
Camrose					502	207	93	292	440	520	553	380	455	452	456	243	439	580	128	202	541
Cardston						265	524	680	62	959	975	712	638	407	77	680	244	1002	372	456	55
Drumheller							282	471	293	709	742	559	548	317	289	415	317	769	165	249	400
Edmonton								199	462	435	460	287	362	474	514	248	532	487	150	224	563
Edson									618	633	381	88	163	394	670	446	718	408	310	350	719
Fort Macleod										897	913	650	576	345	52	655	219	940	310	394	107
Fort Mc Murray											747	721	796	909	949	585	929	675	584	659	998
Grande-Prairie												469	544	775	965	707	992	200	600	667	1014
Hinton													74	305	702	534	778	496	398	406	751
Jasper														231	628	609	704	571	332	419	677
Lac-Louise															397	695	473	802	322	257	446
Lethbridge																603	167	992	362	446	130
Lloydminster																	479	734	370	445	733
Medicine Hat																		1019	410	494	297
Peace River																			628	694	1041
Red Deer																				87	411
Rocky Mtn. House																					495

Tableau des distances
(Kilomètres)
Colombie Britannique

	Cache Creek	Calgary	Edmonton	Golden	Hope	Jasper	Kamloops	Kelowna	Nanaimo	Penticton	Princeton	Quesnel	Radium Hot Springs	Revelstoke	Seattle	Tête Jaune Cache	Vancouver	Vernon	Victoria
Banff	576	130	427	135	770	285	482	493	947	545	719	899	134	385	1023	387	915	429	956
Cache Creek		706	887	441	193	525	252	83	370	315	203	323	548	293	461	423	338	200	379
Calgary			297	265	900	415	612	623	1077	675	788	907	264	413	1153	517	1045	560	1085
Edmonton				562	1080	362	909	804	1258	972	991	861	561	710	1348	464	1225	856	1266
Golden					635	308	347	358	812	410	523	764	107	148	993	410	780	294	821
Hope						718	311	277	177	249	135	516	741	486	268	617	145	364	185
Jasper							442	611	895	674	629	499	361	456	986	102	863	558	904
Kamloops								169	454	232	187	406	464	209	545	340	422	116	462
Kelowna									489	63	176	575	454	199	579	509	457	53	497
Nanaimo										426	312	693	918	663	254	794	27	542	111
Penticton											113	638	655	262	516	572	394	116	435
Princeton												525	630	375	443	527	280	229	321
Quesnel													871	615	784	385	661	522	702
Radium Hot Springs														255	889	462	886	401	927
Revelstoke															794	549	631	146	672
Seattle																885	222	632	247
Tête Jaune Cache																	762	456	803
Vancouver																		510	67
Vernon																			550
Victoria																			

Notes

Notes

Notes

La composition de ce volume
a été réalisée par
les Ateliers de La Presse, Ltée

Achevé d'imprimer
en juin mil neuf cent quatre-vingt-deux
sur les presses de l'Imprimerie Gagné Ltée
Louiseville - Montréal.
Imprimé au Canada